Y PU##P

Tami

I'm pump.

Y PUⅢP

Tami

MARED ROBERTS

gyda

CERI-ANNE GATEHOUSE

Rhybudd cynnwys: Yn ogystal â themâu ac iaith gref a all beri gofid i rai, ceir cyfeiriadau at ableddiaeth (*ableism*) ac awgrym o gamfanteisio rhywiol drwy ffotograffau yn y nofel hon.

Argraffiad cyntaf: 2021
© Hawlfraint Mared Roberts a'r Lolfa Cyf., 2021

Cynllun y clawr: Steffan Dafydd

Rhif Llyfr Rhyngwladol: 978 1 80099 062 3

Dymuna'r cyhoeddwyr gydnabod cymorth ariannol Cyngor Llyfrau Cymru

Cyhoeddwyd ac argraffwyd yng Nghymru
ar bapur o goedwigoedd cynaliadwy gan
Y Lolfa Cyf., Talybont, Ceredigion SY24 5HE
e-bost ylolfa@ylolfa.com
gwefan www.ylolfa.com
ffôn 01970 832 304
ffacs 01970 832 782

Y PUℍℙP

| **Tim**
Elgan Rhys
gyda Tomos Jones

|| **Tami**
Mared Roberts
gyda Ceri-Anne Gatehouse

||| **Aniq**
Marged Elen Wiliam
gyda Mahum Umer

|||| **Robyn**
Iestyn Tyne
gyda Leo Drayton

||||| **Cat**
Megan Angharad Hunter
gyda Maisie Awen

Rheolwr a Golygydd Creadigol: Elgan Rhys
Mentor Creadigol: Manon Steffan Ros
Golygydd: Meinir Wyn Edwards
Marchnata: AM (Nannon Evans, Lea Glyn, Alun Llwyd, Llinos Williams)

*Diolch o galon i Lenyddiaeth Cymru, National Theatre Wales,
ac Urdd Gobaith Cymru am eu cefnogaeth.*

 amam.cymru/ypump

 @ypump_

DIOLCHIADAU

Hoffwn ddiolch o waelod calon i Elgan Rhys, nid yn unig am ei gyfeillgarwch a'i gefnogaeth ddiflino drwy gydol y broses ysgrifennu, ond hefyd am y weledigaeth o roi Y Pump at ei gilydd. Diolch hefyd i griw'r Lolfa ac i Meinir yn enwedig am bob cefnogaeth, arweiniad a gair o gyngor ar hyd y ffordd. Diolch i Manon Steffan Ros am ddarllen y drafftiau cychwynnol ac am ei phrolog hudolus, ac i Steffan Dafydd am y cloriau trawiadol.

Diolch yn fawr i'r awduron ac i'r cyd-awduron am eu cwmni, eu cyngor, eu cyfeillgarwch a'u hwyl. Fe wnaeth y cyfarfodydd Zoom wir godi calon yn ystod cyfnod anodd. Hoffwn ddiolch hefyd i'm teulu a'm ffrindiau am eu cefnogaeth, eu hamynedd a'u cariad diamod bob amser. Allwn i fyth ddiolch i chi ddigon. Wir.

Ac yn olaf, mae fy niolch pennaf i Ceri-Anne Gatehouse am ei mewnbwn hollbwysig, ei chreadigrwydd, ei chyngor craff a'i chwmni (ac am fod ar yr un donfedd yn union!). Yn sicr, nid Tami fyddai Tami hebddi. Felly diolch o galon, Ceri-Anne – bu'n fraint o'r mwyaf cael cydweithio â ti.

MARED ROBERTS

CREU Y PUMP

CERI-ANNE GATEHOUSE

Mae'r broses o weithio ar gyfres Y Pump wedi bod yn un fythgofiadwy. Rwyf wedi cydweithio nid yn unig gydag arbenigwyr o fewn y byd cyhoeddi ac ysgrifennu, ond gyda phobl rwyf nawr yn eu hystyried yn ffrindiau. O ddechrau'r profiad hyd y diwedd, rwyf wedi teimlo'n rhan enfawr o'r tîm y tu ôl i gyfres Y Pump. Mae gweithio'n agos gyda gweddill yr awduron a'r cyd-awduron, yn enwedig Mared Roberts ac Elgan Rhys, wedi fy helpu i ddatblygu fy sgiliau ysgrifennu ond hefyd fy sgiliau creu, drafftio a chyfathrebu negeseuon trwy naratif.

Os gofynnaf i fi fy hun, 'Beth yw neges stori Tami?' bydd fy ateb heddiw yn wahanol i ateb yfory oherwydd mae ei stori hi'n delio gyda chymaint mewn ffordd mor bwrpasol, ond hefyd mewn ffordd sydd yn ddealladwy, a dyw hi ddim yn stori sy'n 'trio-neud-popeth-ar-unwaith' (a dwi wedi darllen digon ohonyn nhw i wybod y gwahaniaeth). Efallai byddai'n well gofyn i fi fy hun, 'Beth yw fy hoff bethau am stori Tami?' Mae'r ateb yn hawdd. Mae Tami yn berson anabl, ac mae elfennau o'i stori yn delio gyda'r rhwystrau sy'n gallu codi o fod yn berson anabl; rhwystrau a phrofiadau pwysig sydd fel arfer yn cael eu tangynrychioli yn y cyfryngau a'r wasg, a dwi'n falch eu bod yn cael eu portreadu yn y gyfres yma.

Yn fwy na hynny, fy hoff beth, sy'n cael ei adlewyrchu trwy gydol y nofel, yw nad yw Tami yn gymeriad sydd wedi cael ei ysgrifennu fel person anabl yn unig. Mae Tami yn bwerus, yn sarcastig ac yn glyfar, ond mae Tami hefyd yn ansicr, yn unig, ac yn annifyr weithiau. Mae Tami yn gymeriad sy'n *fleshed-out* ac yn drosglwyddadwy, nid yn unig i mi fel person anabl sy'n defnyddio cymhorthion symud, ond i mi fel merch sydd wedi bod trwy arholiadau ac wedi delio gyda thensiwn teuluol wrth drio ffeindio lle dwi'n 'ffitio' gyda'm ffrindiau, ac o fewn y byd.

Mae Tami yn gymeriad oedd ei angen arna i pan o'n i'n mynd trwy'r pethau hynny. Edrychaf arni fel chwaer iau nawr, ond hefyd fel rhan ohonof fi fy hunan. Dwi'n gobeithio bod darllenwyr y nofel a chyfres gyfan Y Pump yn gweld rhan ohonyn nhw'u hunain ynddi hefyd.

Mae'r nofel yma â ffocws mor benodol ar gymeriad Tami, ei meddyliau, ei gobeithion a'i phryderon, fel y byddai'n anodd peidio creu cysylltiad gyda hi. A dwi mor falch o'r cyfle ac o'r profiad o weithio ar ei stori. Byddwn i wedi gallu parhau i'w datblygu gyda Mared am o leiaf pum nofel arall achos mae ei meddwl hi yn un y credaf y dylai pawb gymryd cam i mewn iddo, o leiaf unwaith, a gweld pwysigrwydd ei stori hi. Edrychaf ymlaen at ddarllen a darllen eto ac eto am fyd Y Pump.

Yn olaf, diolch yn fawr i bawb o'r Lolfa sydd wedi gwneud y nofel yma'n bosib, a phawb sydd wedi gweithio arni. Hoffwn ddiolch i fy mam, Jen, am feithrin fy nghreadigrwydd trwy gydol fy mywyd; fy nain, Pauline, am ei brwdfrydedd dros bopeth dwi'n neud; a diolch i 'nghariad, Ethan, am fy nghefnogi a 'ngharu.

PROLOG
MANON STEFFAN ROS

Yn y dref hon...

Yn y dref hon, lle mae'r craciau yn y pafin yn wythiennau dan ein traed. Lle mae'r gwylanod yn pigo'r lliwiau o chwd y noson gynt ar fore dydd Sul, a'r siwrwd poteli'n sgleinio'n dlws wrth reilings y parc. Lle mae'r môr yn las neu'n wyrdd neu'n arian neu'n llwyd, yn anadlu'n rhewllyd dros y strydoedd a'r tai.

Dwi'n nabod fan hyn. Dwi'n nabod y bobol, heb orfod gwybod eu henwau na thorri gair efo nhw. Dwi'n eu nabod nhw fel dwi'n nabod y graffiti ar y bus shelter, a chloc y dre sy'n deud ers pymtheg mlynedd ei bod hi'n ugain munud i naw. Mae'r bobol yn perthyn i'r dref gymaint â'r ffyrdd, yr adeiladau, yr hanes.

Mae 'na bump sy'n bodoli yn fama fel rhes o oleuadau stryd.

Weithiau, maen nhw ar eu pennau eu hunain, wedi'u lapio yn eu cotiau neu dan eu hwds yn erbyn y tywydd a'r trwbwl, a'u clustffonau bychain yn mygu synau'r byd. Ond weithiau, maen nhw'n ddau neu'n dri neu'n bedwar neu'n bump – a dyna pryd maen nhw ar eu gorau.

Sŵn olwynion cadair olwyn fel ochenaid o ryddhad ar y pafin, bron ar goll dan alaw chwerthin y ffrindiau. Cip swil rhwng dau, a llygaid yn mynegi mwy nag unrhyw gyffyrddiad. Holl liwiau'r galon mewn sgarffiau hirion, meddal.

Mae'r rhain yn wahanol, y Pump yma, ond yn wahanol i beth, mewn difri? Weithiau, does dim ond angen gwên i wneud i chi sefyll allan.

Fraich ym mraich, pen un ar ysgwydd un arall, gwên gyfrin, sgwrs-hanner-sibrwd, jôc fudr a chwerthin aflafar. Ffrindiau gorau. Mae'r dref yma wedi gweld cenedlaethau ohonyn nhw, clymau tyn o gyfeillion, yn rhy ifanc i wybod mai'r rhain ydy'r ffrindiau gorau gawn nhw byth. Yn rhy ifanc i wybod mai pwy ydyn nhw rŵan, yn ansicr ac yn amherffaith a heb gyfaddawdu ar ddim, ydy'r fersiynau gorau ohonyn nhw fydd yn bodoli.

Yn y dref hon...

Maen nhw'n herio ac yn harmoneiddio. Yn llawen ac yn lleddf. Yn ffraeo, yn ffrindiau, mor doredig â'r craciau yn y pafin ac mor berffaith â'r blodau bychain sy'n tyfu allan ohonyn nhw.

Mae'r dref hon, rŵan, yn perthyn iddyn nhw.

1

Dosbarth Ffrangeg

Fy enw i yw Tami Bryan ac rwy'n 15 oed.

Mae gen i wallt brown a llygaid glas.

Rwy'n byw mewn tŷ pâr yn y dref gyda fy mam, fy nhad a fy mrawd.

Rwy'n hoffi darllen, gwrando ar gerddoriaeth ac ymlacio gyda fy ffrindiau ardderchog.

vs

Realiti

Tami Bryan dwi a dwi'n 15 going on digon-hen-i-fotio/ prynu-goldfish.

Mae 'da fi wallt brown a ffrinj rili fyr bleach blonde, a dwi'n gwisgo shitloads o liquid liner. Dwi'n byw mewn tŷ semi-detached tu fas y dre yn y bit eitha posh 'da loads o goed, er bo' fi ddim yn posh.

Dwi'n byw gyda:

- *Mam (babe).*
- *Richard: Stepdad rili annoying a arrogant.*
- *Llŷr: Stepbrawd sy'n rili popular am ddim rheswm heblaw bo' muscles e dwbl seis ei bersonoliaeth e.*

Dwi'n Twitter addict a mae 'da fi bron 3,000 o Followers.

I live for the gigs yn dre 'da ffrindie hollol amazing fi, er bo' rhaid fi gadw mas o mosh pits achos fel arall bydden i'n ca'l fy tramplo'n bancosen yn cadair olwyn fi, lols.

Iep, mae bywyd lot haws yn y dosbarth Ffrangeg. Mwy boring falle, ond loads mwy straightforward. Mae pob poen dwi'n teimlo yn diflannu fel y silent letters wrth ddarllen brawddege mas oddi ar y bwrdd gwyn.

Dwi'n meddwl mai dyna pam dwi'n joio Ffrangeg gymaint. Alla i fod yn bwy bynnag dwi moyn a sdim ots os nad ydw i'n lico'r person achos ymarfer yw e i gyd. Mae'n od. Mae gorfod disgrifio shwt dwi'n teimlo mewn iaith arall yn neud fi'n fwy ymwybodol o bwy ydw i, I guess, hyd yn oed os nad yw e'n dod mas yn iawn bob tro. Ac i fod yn onest, siarad Ffrangeg yw un o'r unig bethe sy'n neud i fi edrych mlân at y dyfodol.

Mae'r ysgol yn shit rili pan ti'n meddwl am y peth. Mae e'n paratoi pob un ohonon ni at yr un pwrpas 'ma sy ddim even yn bodoli yn bywyd fi. Mae e fel tasen nhw'n cynnig wardrob sy'n cynnwys deg dilledyn a mae pawb yn gorfod dewis pedwar dilledyn yr un... Et voilà! Mae pawb yn bennu lan yn edrych yr un peth. Beth os ydw i moyn tie-dyeo'r crys 'na sy'n lot rhy fawr i fi a torri tassels ar y gwaelod a gwisgo fe fel ffroc?

"Oui, bien sûr. Nous sommes tous très beaux ici. Rydyn ni i gyd yn brydferth yma. Très bien, Rhydian."

"Madame?"

"So hold on, os oes tair merch ac un bachgen yn y dosbarth, 'beaux' ni'n defnyddio a dim 'belles' 'te?"

"Alors, pwynt pwysig. Ia, yn Ffrangeg, os oes 'na un hogyn yn rhan o'r criw, 'dan ni'n defnyddio'r gwrywaidd."

Rili? Ti'n gweud wrtha i y bydde tair mil o ferched yn gorfod plygu i lyfu tin un blydi Rhydian? OK. Mae e'n gweud wrtha i am gau ngheg ac i beidio cymhlethu pethe hyd yn oed yn fwy, a wedyn mae Madame John yn sôn am y sefydliad 'ma o'r enw'r 'Académie Française' sy'n neud penderfyniade pwysig am yr iaith Ffrangeg, a mai hen ddynion gwyn mewn siwts sy'n ofni unrhyw fath o newid yw'r aelodau i gyd basically, cyn esbonio mai dyma, felly, yw'r ffordd ni'n gorfod dysgu Ffrangeg am y tro, yn anffodus. Rhyw chwarter awr cyn i'r wers orffen, ni'n watsho clip ar YouTube o Ffrancwyr go iawn mewn rhyw dre yn mynegi barn am y pwnc, a'n tasg ni erbyn wythnos nesa yw cael trafodaeth ar yr holl beth. Nous sommes belles!

IIII

Mae'r Pump yn aros amdana i tu fas i'r wers erbyn i fi orffen. Sdim un o'r lleill 'di dewis Ffrangeg ar gyfer TGAU, a Ffrangeg yw'r dosbarth agosa at y bistro so maen nhw'n cwrdd â fi fan'na bob amser cinio dydd Gwener i ni allu wynebu'r coridorau gyda'n gilydd. Dwi'n dilyn Rhydian mas drwy'r drws. Mae e'n smelo fel Lynx Africa a rhech.

"Iawn, losers?"

Gwreiddiol. Nag ife dim ond losers sy'n iwso'r gair 'losers' o ddifri eniwei? Na'th Aniq weud bo' Rhydian 'di anghofio plygo'i headphones mewn ar y bws wythnos ddiwetha a bo' pawb ar y bws yn gallu clywed e'n gwrando ar yr un gân ar lŵp yr holl ffordd adre. Na'th Nedw o Flwyddyn 7, AKA Mini Tim, neu Tim Two fel o'dd Robyn yn ei alw fe, bwynto hyn mas iddo fe jyst cyn iddo fynd off y bws (be more like Nedw) ac a'th Rhydian yn rili defensive a rhoi fflic caled i'w fraich e. Wedyn na'th Nedw roi ei droed e mas ar ddamwain jyst pan o'dd Rhydian yn cerdded off, a baglodd e a glanio ar ysgwydd y bus driver. Bydd rhaid i ni gadw llygad mas am Nedw druan.

"At least 'dan ni'n amrywio'n playlists."

Dwi'n gobeithio bod Rhydian yn clywed Cat yn gweud hyn, ond dyw e ddim. A falle bod hynny'n beth da achos mae hi'n ddigon o ordeal i basio'r BeiblLads yn y coridor mewn tawelwch. Dylen i fagu asgwrn cefn rili, ond dwi'n gwbod mai plygu neith hwnnw. Mae Robyn yn gafael ym mreichie cadair olwyn fi ac yn dechre ngwthio i gyfeiriad y bistro, a mae pawb arall yn dilyn mewn rhes.

Mae cerdded ar hyd coridor Ysgol Gyfun Llwyd yn teimlo fel bod mewn chick flick Americanaidd. Ti'n gwbo', pan mae'r camera yn canolbwyntio ar grwpiau gwahanol yn yr ysgol mewn slow motion o safbwynt y 'losers'? Ond obvs heb y lockers, achos sdim lockers yn Ysgol Gyfun Llwyd. Mae bagie pawb mewn twmpathe ar y llawr.

Mae Robyn yn fy ngwthio i mewn llinell igam-ogam, a ni'n gweld y BeiblLads a'r Slayers gyda'i gilydd yn yr un hen le, reit tu fas y toilets agosa at y bistro. Mae Robyn yn arafu ac yn dod â'r gadair i stop.

Galle'r Slayers neud i unrhyw beth edrych on trend. Cardigans o'dd merched yr ysgol i gyd yn arfer eu gwisgo cwpwl o flynyddodd yn ôl, ond haf llynedd dechreuodd y Slayers wisgo sweatshirts gyda botyme'r polo shirts ar gau reit lan. Dechreuodd pawb wisgo sweatshirts yn slo bach wedyn. Mae'n weird meddwl bo' Cat yn arfer bod yn un o'r Slayers. Ar y pryd, o'dd eu henwe nhw'n rhan o beth o'dd yn neud nhw'n cŵl – Carys, Cerian, Ceinwen a Cat – ond wedyn na'th Cat adel a gaethon nhw Siriol i mewn yn lle Cat, sy ddim cweit mor smooth, ond mae'n kinda funny.

Mae'r BeiblLads yn meddwl bo' nhw'n God's gift achos bo' nhw'n chware rygbi i'r sir. Wel, mae Llŷr a Liam yn. Sai'n siŵr am Garin a Dan a Rhydian, ond ti'n gallu gweud wrth eu breichie nhw bo' pob un ohonyn nhw'n mynd i'r gym loads. Maen nhw'n lico prynu two pinter o laeth amser egwyl a cherdded rownd yn cleco fe o'r botel, a mae'u chwerthiniad nhw mor grating dwi'n teimlo fel actual pishyn o gaws sy'n torri'n ddarne mân bob tro dwi'n clywed nhw.

Dwi'n mwytho siôl sidan Robyn, yr un 'da'r embroidery aur lysh rownd yr ochre.

"Jolch, Robs. Gymra i drosto am nawr. Ti'n gwbo' shwt ma nhw."

Mae Carys, Cerian a Siriol yn ishte ar y fainc, a ma Llŷr a Ceinwen yn sefyll wrth eu hymyl. Mae Llŷr â'i freichie rownd canol Ceinwen a'r ddau'n fishi'n byta'i gilydd yn ddwl. Mae'r gweddill ohonyn nhw'n sefyll bob ochr i'r coridor.

Dwi'n dechre gwthio fy hunan heibio pawb, yn trio

peidio neud eye contact gyda nhw ac yn canolbwyntio ar fynedfa'r bistro o mlân i. Er, dwi'n gwbod yn iawn bo' nhw'n edrych arna i a gweddill y Pump. Mae dau o'r BeiblLads yn sefyll ar yr ochr dde a dau ar yr ochr chwith.

Maen nhw'n barod i ymosod.

Dyma nhw'n gwthio gweddill y Pump o'r ochr chwith i'r dde. Maen nhw'n gafael ym mreichie'r gadair olwyn, yn codi'r olwynion ffrynt ac yn dechre shiglo fi'n ôl a mlân.

"Ffyc off, Garin!" dwi'n full-on sgrechen. Mae pawb yn y coridor yn stopo siarad ac yn troi i edrych arna i.

Dwi'n rhoi hwyth i'w fraich e ac yn dechre gwthio fy hunan mlân i'r bistro. Mae Tim a Cat ac Aniq a Robyn yn llwyddo i ddianc hefyd. Mae pawb tu ôl i ni'n neud y chwerthiniad 'na pan maen nhw'n gwbod bo' nhw ddim i fod i chwerthin.

Pawb heblaw Llŷr, sy'n dawel drwy'r cyfan. Sy ddim lot gwell.

Ffycin cachgi.

Er bo' ni'n ca'l cinio mwy nag arfer ar ddydd Gwener, mae'r pump ohonon ni'n lico mynd am milkshake ar ôl ysgol i ddathlu dyfodiad y penwthnos. I'r Shecws ni'n mynd bob tro, yn enwedig gan bo' Tim 'di cymryd at y lle yn ddiweddar. Mae'n lle rili kitsch a ciwt sy ddim rili'n mynd 'da vibes y dre o gwbwl. Mae'r llawr fel bwrdd chess pinc a melyn a gwyn, a mae'r seddi'n turquoise golau a'r fordydd yn baby pink. Mae posteri retro a goleuade LED gwahanol yn gorchuddio'r walie, a jukebox ar bwys y cownter. Maen nhw'n cynnal open mic nights 'na 'fyd, sy'n cŵl.

"Diolch byth bo' fi ddim efo'r Slayers ddim mwy. Fysach chi'n gallu imajinio hangio allan fo'r BeiblLads drwy'r dydd?" ma Cat yn gweud, a ma pawb yn cytuno'n chwyrn wrth sugno'u gwellt papur yn galed.

"I mean, weloch chi Ceinwen a Llŷr? Blydi hel." Dwi'n sychu'r anwedd dŵr ar bysedd fi yn y syrfiét, sy'n fflat yn erbyn y ford. "Fel, surely, sdim rywbeth fel'na'n bleserus? Dwi'n credu bydden i 'di tagu. Ond pwy dwi i weud? Dwi heb necko neb o'r blân, so..."

Dwi'n ca'l laff wrth bawb. Mae Tim a Cat yn edrych ar ei gilydd cyn edrych i lawr ar eu milkshakes. 'Nes i ddim necko Tim yn y gìg Calan Gaeaf. O'n i ddim even moyn eniwei. Dwi'n procio'r gwelltyn yn erbyn gwaelod y gwydr sundae.

A wedyn ma Robyn yn dechre pisho chwerthin.

"Be sy'n funny?"

Mae e'n cymryd sbel iddo fe ddod at ei hunan.

"Sori, newydd gofio am Cat yn mynd yn styc yn belt y

ddynas ar y bỳs i'r dre." Mae Robyn yn trio llyncu'r llaeth yn ei geg cyn cario mlân.

"Oh my God, PLEASE don't remind me," mae Cat yn ymateb mewn acen Americanaidd.

O'n i 'di clywed y stori o'r blân. Dwi'n credu o'dd e'n had-to-be-there moment.

"Shwt ddigwyddodd e?" Dwi'n gallu gweud bod Tim rili moyn gwbod, achos do'dd e ddim 'di symud i fyw 'ma bryd 'ny, obvs.

"O'dd hi'n packed ac o'n ni'n gorfod sefyll, so a'th handbag Cat yn styc yn belt y ddynas 'ma. Pan ddoth stop y ddynas, na'th hi a boyf hi gerddad off hand in hand, ond o'dd Cat yn ca'l ei dragio allan efo nhw."

A mae pawb yn dechre chwerthin 'to. Dwi'n trio joino i mewn ond dyw'r chwerthin ddim yn dod mas yn iawn. Dwi'n penderfynu newid y pwnc.

"Tasen ni i gyd yn fizzy drinks, pa fizzy drink fydde pob un ohonon ni?"

Mae pawb yn pendroni am sbel. Ni'n penderfynu mai San Pellegrino fydde Tim, achos ei fod e'n siarp a bach yn posh. Dyw e ddim yn deall shwt ti'n gallu cymharu person 'da fizzy drink, ond ni'n esbonio a mae e'n rhoi i mewn yn y diwedd. Tango fydde Cat, achos ei bod hi'n lliwgar a funky a mae pawb yn lico hi. Appletizer fydde Robyn, achos ei fod e wastad yn edrych yn ffresh a ni jyst yn ca'l vibes Appletizer wrtho fe. Mae pawb yn stryglan 'da Aniq, ond dwi'n teimlo mai ni sy dan bach o anfantais achos Aniq sy wastad yn nailo cwestiyne fel hyn. Dwi'n lico'r ffordd mae'i meddwl hi'n gweithio. Mae hi'n gallu rhoi rhyw slant newydd ar bethe bob tro. Ni'n setlo ar Oasis Summer Fruits yn y diwedd, er bo' ni ddim yn siŵr a yw hwnna'n cyfri achos bod e ddim yn fizzy fel y cyfryw. Mae pawb yn unfryd mai "definitely rhywbeth fel Fanta Grape" bydden i, achos bo' fi "jyst yn".

Dwi'n edrych arnyn nhw ambell waith a dwi ffaelu helpu gwenu fel giât, er bo' fi ddim cweit yn siŵr shwt mae giât yn gwenu. Ni i gyd jyst 'di kind of bennu lan yn yr un grŵp gan fod pob un ohonon ni ddim cweit yn ffito'r norm mewn rhyw ffordd benodol. Wrth gwrs, dwi'n caru pob un ohonyn nhw to bloody bits a ni'n dibynnu ar ein gilydd gymaint, ond dwi jyst yn cwestiynu ambell waith ife ni sy'n teimlo rhyw dynfa naturiol rhyngddon ni, neu ife cymdeithas sy 'di fforso'r dynfa 'ma arnon ni. Pa bynnag un sy'n wir, dwi'n ddiolchgar. Fel y wonky apples neu'r perfectly imperfect potatoes yn y siop, ni ddim cweit yn edrych fel pawb arall so ni ddim yn ca'l ein hystyried mor werthfawr, er bo' ni'n union 'run peth y tu mewn.

Ar ôl dadansoddi pob fizzy drink dan haul, ni'n

penderfynu ei bod hi'n bryd gadel ar ôl dechre dadle ife Ribena fydde'r BeiblLads. (Fflat, predictable, dim byd sbesh. Ond mae Robyn yn anghytuno. As in, mae e'n lyfo Ribena). Mae'r Shecws yn pay what you can, sy'n gysyniad mor cŵl. Byddet ti'n meddwl bod pobol yn cymryd mantais o'r system, ond dwi'n credu bod y trust yna jyst mor refreshing, so mae'n win-win ym mhob ffordd.

Dwi'n grediniol bod pawb yn y byd yn gorfod dibynnu ar ei gilydd i fyw bywyd dedwydd. Mae e'n wir ym mhob agwedd ar fywyd – hyd yn oed gyda milkshakes. Tase rhywun yn talu fiver am un, bydde hynny'n caniatáu i rywun arall sy ddim yn gallu fforddio milkshake joio un yn rhad, a un blydi lysh at that hefyd.

Cyd-ddigwyddiad bod 'na 'laeth' mewn 'sosialaeth'? I think not.

Dwi'n sleido holl newid arian cinio fi i ganol y ford a dwi'n gwthio fy hunan mas i'r oerfel i aros i Mam bigo fi lan.

2

SAI'N RILI LICO bod yn y tŷ pan dyw Mam ddim 'na. Dwi jyst yn hango mas yn stafell fi i osgoi trafodaethe llafurus 'da Richard. Sai'n gwbod be mae Mam yn gweld ynddo fe wir. Mae e'n meddwl bod e'n hilarious pan mae e'n gweud mai dim ond teirw sy'n gwisgo hoop yn eu trwyne nhw, ond actually yr unig beth sy'n hilarious yw'r ffaith bod e'n stico'i dafod mas i'r ochr a rhwng ei ddannedd bob tro mae e'n trio neud jôc.

Na'th e gwmpo mas 'da'r ferch 'ma dwi'n ffrindie 'da hi ar Facebook ar ôl galw hi'n 'snowflake'. Ers 'ny, mae e'n gweud bod e'n gwrthod trafod politics ar social media. So yn lle hynny, 'na i gyd ma fe'n neud ar Facebook yw newid profile picture e eto ac eto. Yr un selfie blurry, ond gyda ffrâm wahanol bob tro.

Ydy e'n ddramatig i weud bod e'n rhoi'r creeps i fi? Sai'n gwbod ife shwt mae bysedd ei draed e'n danglo mas o'i sandals yw e, neu shwt mae e'n jelo'i ffrinj e lan pan mae cyfarfod pwysig 'da fe (fel o'dd Llŷr yn arfer neud pan o'dd e'n un ar ddeg oed), neu shwt ma fe'n pwdu ar ôl colli gêm o Monopoly, neu jyst combination o'r pethe 'ma i gyd. A mae'n super weird pan mae e'n twtsh â pen-ôl Mam pan mae hi'n cwcan ac yn edrych i weld a ydw i'n edrych, fel ffordd o weud mai fe sy bia Mam, dim fi. Mae Mam yn edrych yn hapus though, so dwi'n trio ngore i gadw'n dawel.

Naethon nhw gwrdd pan o'dd Richard i lawr yn y de ar stag do ei ffrind coleg e. Dechreuon nhw siarad Saesneg gyda'i gilydd wrth y bar ond ar ôl bach, sylweddolodd Mam fod Richard yn siarad Cymraeg hefyd. O'dd Mam yn dysgu Cymraeg ar y pryd, so ar ôl 'ny dechreuon nhw gwrdd i helpu Mam 'da'i Chymraeg, and the rest is history. Dwi 'di clywed y stori loads o weithie. Mae Mam 'di dysgu Cymraeg yn wych, a bydde hi'n gwadu'r peth bob tro ond mae'n wir. Mae hi'n halen y ddaear sy'n haeddu pob hapusrwydd a sai'n gwbod be fydden i'n neud hebddi. Wel, cuddio yn stafell wely fi – 'na be fydden i'n neud hebddi. Mae hi wastad 'di bod yn fam sengl, ac o'dd hi'n gweithio'n rhan amser ac yn astudio i fod yn speech therapist am chwe blynedd tan o'n i'n ddeg oed. Am y rhan fwya o'r cyfnod 'ny hefyd o'n ni'n dwy'n ôl a mlân yn yr ysbyty ar ôl sawl dislocation, cyn i fi gael y diagnosis swyddogol. Basically, mae hi'n hero a bysen i'n neud unrhyw beth iddi. Mae sawl blwyddyn ers i ni fod lan yn byw 'ma nawr, a dwi'n falch symudon ni i'r gogledd. Dwi jyst ddim yn keen ar Richard...

Mae'r tri ohonon ni rownd yr island yn y gegin, a mae Richard yn neud comment arall am faint o amser dwi'n hala ar ffôn fi a dwi jyst yn esgus bo' fi heb glywed e. Dwi'n gofyn am top-up o win gwyn. Mae Mam a Richard yn yfed eitha lot pan maen nhw gyda'i gilydd, ac ar benwythnose dwi'n ca'l gwydred bach neu ddau gyda nhw hefyd. I swear dyw oedolion ddim actually'n lico blas gwin. Dwi'n credu bo' nhw jyst 'di traino'u hunen i yfed e.

Dwi'n refresho Twitter.

Disabled and/or chronically ill twitter friends, what do you wish non-disabled people around you understood?

♡ 7   ⟲ 26   ❤ 152   ↑

Dwi'n rhoi Like iddo fe. Sai 'di cwrdd â'r boi sy 'di tweeto hyn, ond dwi'n dilyn e ar Twitter achos mae e'r un oedran â fi a ma 'da fe ME, sy'n debyg i Ehlers-Danlos Syndrome mewn sawl ffordd, so dwi'n gweld ei stwff e'n rili relatable. 'Na be dwi'n lico am Twitter. Dwi 'di gallu dod i nabod gymaint o bobol amazing sy'n mynd drwy stwff tebyg i fi a dwi 'di dysgu gymaint wrthon nhw hefyd. Mae e'n teimlo fel fersiwn rhithiol o pep talk cyn matsh rygbi (er bo' Richard yn meddwl bod e'n neud fi'n aggressive, ha).

Dwi'n clico ar y tweet i weld y Likes a'r Retweets a'r Replies. Mae darllen y llif yn bendant yn rhoi rhyw fath o gysur i fi, ond mae e hefyd yn horrible meddwl bo' sawl un rownd fi ffaelu dianc o'r shit 'ma chwaith.

Dwi'n gwasgu 'Quote Tweet' ac yn dechre meddwl am be i sgwennu. Dwi'n gallu clywed Mam a Richard yn siarad yn y cefndir, ond mae'u lleisie nhw'n teimlo'n bell bant.

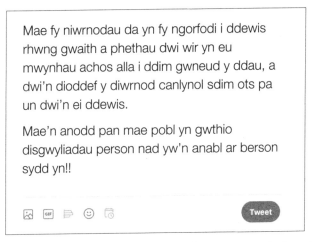

Mae fy niwrnodau da yn fy ngorfodi i ddewis rhwng gwaith a phethau dwi wir yn eu mwynhau achos alla i ddim gwneud y ddau, a dwi'n dioddef y diwrnod canlynol sdim ots pa un dwi'n ei ddewis.

Mae'n anodd pan mae pobl yn gwthio disgwyliadau person nad yw'n anabl ar berson sydd yn!!

Tweet

Damo, minus naw. Dwi'n twtio'r tweet am sbel wrth sipan y gwin. Dwi'n neud e'n super ffurfiol achos dwi moyn i bobol gymryd e'n siriys. Dwi'n gwasgu 'Tweet' ac yn cau'r ap yn syth.

Mae sŵn car yn tynnu i mewn i'r dreif ac allweddi'n troi ym mola'r drws ffrynt. Mae 'da Llŷr training rygbi dwywaith yr wythnos, a gêm bob nos Wener. Dwi'n gweld e bach yn harsh bod e'n mynd mlân tan wyth, er mai Llŷr sy'n gorfod mynd.

Mae Richard yn codi ei sbectol, ac yn gofyn, "Wel, sud a'th hi?"

"23–18 iddyn nhw." Mae Llŷr yn lico mymblan pan mae e gytre. Dyw Richard ddim yn ymateb yn syth.

"Gest ti gais?"

"Do. Dau."

"Da machgen i." Mae Richard yn cymryd y llwnc ola o'i win a mae Llŷr yn rhuthro lan stâr am gawod.

"Llŷr bêbs! Ti moyn glased o win 'da swper?"

Mae Mam yn lyfo Llŷr. Tase hi ond yn gwbod shwt un yw e yn yr ysgol gyda'r BeiblLads. Sai'n mynd i weud wrthi achos sdim byd 'da fi i weud amdano fe rili. As in, mae e'n iawn pan mae e ar ben ei hunan – dim ond pan mae e gyda nhw mae e'n dick.

Ar y dechre, o'dd Mam a Richard yn meddwl bod e mor cŵl bo' fi a Llŷr yr un oedran. Dwi'n cofio o'dd e'n arfer bod yn rili dawel. O'dd trio ca'l sgwrs gyda fe'n amhosib, a 'na i gyd o'dd e'n neud o'dd blinco a darllen llyfre ffantasi. Dwi'n cofio meddwl bo' fi'n ffansïo fe tamed bach pan o'n i'n llai, ond obvs mae hynna'n weird nawr achos mae e basically'n frawd i fi. O'dd e'n foi iawn pan do'dd e ddim yn siarad. Ers iddo fe fagu muscles a cha'l ei ddewis i chware rygbi i'r sir, mae e nawr nid yn unig yn siarad a blinco a darllen ffantasi ond hefyd yn siarad 'da merched ac yn blinco ac yn ffantasïo am bethe gwahanol i hobbits.

Ni'n siarad am dyfodol fi. Eto.

"Ie, ond ma gymaint mwy yn gallu teithio erbyn hyn. Dwi rili moyn. Dwi'n siŵr bydde fe'n fine os dwi'n planno digon."

"Wel, â phob parch i chdi 'de, Tams, dwi'm yn siŵr fysa corff chdi'n gallu côpio. Fysa fo'n fwy o draffarth na'i werth o. Meddwl amdana chdi dwi, sti." Mae Richard yn neud y wyneb piti od 'na.

"Paid gwrando arno fe, Tams. Byddi di'n gallu'n iawn. Ti wastad yn ffeindio ffordd. Un fach stwbwrn fuest ti erioed."

Wedyn, mae Mam yn dechre gweud stori dwi 'di clywed ganwaith am shwt o'n i'n arfer pallu mynd i gysgu pan o'n i'n fabi a bydde hi'n canu cân yr wyddor am orie cyn i fi setlo, a shwt o'n i'n pallu gwisgo napi i gysgu so o'n i'n dihuno ganol nos yn wlyb domen. Dwi'n ca'l top-up arall o win gwyn.

IIII

Dwi'n shattered pan dwi'n mynd lan i'r gwely. Sdim byth set iawn o byjamas gyda fi. Dwi jyst yn gwisgo T-shirt Adwaith a bottoms tartan sy ddim cweit yn ddigon hir i fi. Dwi wastad yn cymryd amser i newid iddyn nhw achos dwi ddim rili'n ffansïo trip i A&E mor hwyr yn y nos. Wedyn dwi'n clywed rhywun yn dod lan stâr so dwi'n cuddio tu ôl i'r wardrob a dechre tynnu bra fi off o dan y T-shirt.

Mae Llŷr yn cnoco ar y drws, er bod e ar agor.

"Helô?"

"Tams?"

"Ie?"

Dwi'n cerdded rownd drws y wardrob i sefyll ar bwys e, yn dal i stryglan i dynnu clips y bra yn rhydd. Mae e'n blinco mwy nag arfer.

"Sori… Tisio dau funud?"

"Na, na, paid becs. Sdim ots 'da fi."

Mae'i lyged e'n neidio o un lle i'r llall, ddim cweit yn siŵr ble i edrych.

"Sori am heddiw," a wedyn mae tawelwch am sbel.

"Mae'n OK."

Can't be arsed i siarad am be ddigwyddodd amser cinio. Dwi'n llwyddo i dynnu'r bra yn rhydd a dwi'n taflu fe ar y llawr. Mae e'n crafu'i dalcen ac yn troi bant.

"Eniwe, dwi'n mynd i'r gwely 'wan. Ma Garin yn meddwl bod ti'n fit, by the way."

"Nos da, Llŷr."

Dwi'n llithro dan y dwfe. Garin yn meddwl bo' fi'n fit? Mae 'da fe ffordd od iawn o ddangos hynny! Dwi'n rhoi ffôn fi ar charge ac yn ca'l sgrôl cyflym ar Instagram. Ar ôl sgrolo trwy sawl couple pic, dwi'n mynd yn curious.

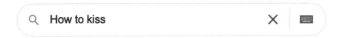

Ar ôl watsho cwpwl o fideos, dwi'n mynd mlân i ymchwilio ymhellach.

Dwi'n crinjan ar yr holl wahanol fathe sydd i ga'l. Ydy pobol actually'n neud yr 'Ice Kiss'? Dwi'n cofio'n ôl i'r gìg Calan Gaeaf pan o'n i'n edrych i mewn i lyged Tim. Alla i ddim gweud mai initial reaction fi o'dd mynd draw i'r bar i ofyn am flocyn o rew.

Ond dwi'n cofio meddwl bo' fi moyn iddo fe ddigwydd. Shwt bydde fe 'di teimlo? Dwi'n meddwl bydde Tim yn gwd first-kiss material. Mae e'n ddigon neis i beidio beirniadu a dwi'n teimlo bydde fe'n brolio am y peth am ddiwrnode wedyn. A bydde hynna'n neud i fi edrych fel pro.

Dwi'n credu bod Ribena yn ddewis rhy neis i'r BeiblLads. Ond os mai Ribena yw'r BeiblLads, a Fanta Grape ydw i, ydy hyn yn meddwl bod y Pump yn gweld fi'n debyg i'r BeiblLads? Pam o'n i 'definitely' yn Fanta Grape? Ydw i'n berson sy'n ymddangos yn brash? Ydw i dros y top?

Dwi'n agor Twitter a mae eitha lot o Notifications gyda fi ers y tweet diwetha. Dwi'n lico peidio agor yr ap am sbel yn y gobaith y bydda i'n dychwelyd ato fe mewn cwpwl o orie gyda channoedd o Notifications.

Mae 'da fi lif o Likes wrth rywun dwi ddim yn nabod.

*.*sam*.* followed you

Dwi'n clico ar y profile.

*.*sam*.*

farmer & knitter || hi/she/her

Dwi'n clico ar y llun ac yn zoomo i mewn. Anime yw Sam, a mae gyda hi wallt coch at ei hysgwydde a earring lleuad yn stico mas. Mae llyged mawr gwyrdd yn ymbil y tu ôl i sbectol sgwâr, sy'n pwyso ar flân ei thrwyn hi. Mae hi'n edrych fel person go iawn y mwya dwi'n astudio'r wyneb.

Mae hyn yn dechre mynd yn rili weird so dwi'n sleido'r llun mas o'r ffordd.

Dyw'r profile ddim yn gweud o ble mae hi'n dod. Dwi'n sgrolo drwy'r tweets a mae hi'n retweeto stwff Extinction Rebellion a pha mor awful yw fast fashion am ecsbloetio pobol a'r byd. A mae'n edrych fel tase hi newydd ddechre busnes gwau ar Etsy.

Mae hi mor cŵl.

Dwi'n gwasgu 'Follow'.

Dwi'n mynd at yr alarms ar ffôn fi ac yn diffodd y chwech ohonyn nhw, yn barod ar gyfer lie-in.

3

MAE MIS TACHWEDD wastad yn drago. Rhwng y flare-ups EDS a stres y ffug arholiadau, dwi'n teimlo bo' fi byth yn ca'l brêc. Mae e fel pan ti'n dringo mynydd a ti sy'n y cefen, wedyn mae pawb arall yn cyrradd rhyw bwynt penodol i ga'l hoe fach, ac erbyn i ti ddala lan 'da nhw, maen nhw'n barod i gario mlân a ti'n bennu lan ddim yn ca'l brêc o gwbwl. Dwi jyst ffaelu dianc o'r vicious cycle 'ma.

☹ Y Pump ☺

CAT'X
> Aaaaa dwin stresio am Ffis. Da chi di dysgur equations i gyd?!?!

TIMMORG
> Ni ddim yn gorfod dysgu'r equations, Cat.

CAT'X
> Tin siŵr?? Dwin siŵr ddudodd mr duw bo nin goro dysgur equations ir moc.......

_ROBXN
> Ia na dwim yn meddwl! Mond buanedd = pellter / amser dwin gwbo eniwe

---

ANIQMSD
Da chi di neud lot? Dwi jyst yn mynd i ddarllen drw
popeth a gobeithio neith o sincio fewn eventually ☺
CAT'X
Ia same! Ac ella mynd drw rai past papers :/
BRYAN_TAMI
sori nawr dwin gweld hwn. lol nadw sai di neud
braidd dim to. cba

Mae'r Pump wastad yn gweud wrtha i mod i'n natural
a bo' ddim rhaid i fi adolygu. A dwi'n hêto, hêto, hêto pan
maen nhw'n rhoi'r pwyse 'na arna i, er mod i'n gwbod mai
trio cysuro fi maen nhw. Ond gwaith yw probably un o'r
unig bethe dwi ddim yn siarad ambiti'n iawn gyda nhw.
Gan mod i'n colli gymaint o ysgol, mae rhaid i fi drio dala
lan hyd yn oed os dwi'n rili boenus a hyd yn oed os dwi rili
ddim yn y mŵd.

Dwi 'di colli lot o ysgol dros yr wythnose diwetha, a
mae'n anodd pinpointo beth yw gwraidd y broblem. Ife'r
oerfel sy'n neud i EDS fi fflero lan, sy'n neud i fi golli ysgol,
sy'n neud i fi streso? Neu ife'r streso sy'n neud i EDS fi
fflero lan, sy'n neud i fi golli ysgol, a dyw e'n ddim byd i
neud â'r oerfel?

Pa bynnag ffordd, mae mis Tachwedd yn shit.

Mae'n anodd ca'l dy fforso i fynd i'r ysgol pan ti mewn
poen. Mae hyd yn oed ishte drwy'r dydd yn blino fi. Pan

dwi yn yr ysgol, dwi'n ca'l mynd i'r Hafan unrhyw bryd dwi'n teimlo bod isie brêc arna i a wedyn dwi'n gorwedd ar y bean bags am bach. Ond i fod yn onest, dwi'n teimlo loads mwy cyfforddus pan dwi gytre yn pjs fi 'da paned yn watsho daytime TV. Dwi ffaelu canolbwyntio o gwbwl pan mae EDS fi'n fflero lan so mae'n haws i fi jyst aros gytre a'r athrawon yn anfon y gwaith ata i dros e-bost, fel bo' fi'n gallu cymryd amser i fynd drwy bopeth. Mae e 'di digwydd lot ym mis Tachwedd.

Dwi'n lico bo' Sam yn gofyn loads am EDS fi, yn lle troedio rownd y pwnc yn ofalus neu beidio codi'r peth fel tase'r cyflwr ddim yn effeithio ar bywyd fi o gwbwl. Ni 'di bod yn siarad non-stop ers fel wythnos a sai rili'n cofio shwt o'dd bywyd heb Sam.

Ydy e'n weird ca'l person fel hobi?

Apparently es i drwy phase o fod yn obsessed 'da Capri-Sun pan o'n i'n fach. Mae Mam yn gweud bo' fi'n arfer mynd yn rili hyper a bo' fi'n llefen pan o'n i'n gweld bo' ddim Capri-Sun yn y cwpwrdd. Dwi'n teimlo bach fel 'na 'da Sam. Mae ca'l neges wrthi fel downo siot o siwgwr. A pan dwi ddim yn siarad 'da hi dwi ffaelu meddwl am ddim byd arall.

Kind of fel mae Llŷr a Ceinwen pan maen nhw'n blasu ei gilydd, I guess. Ond mae e'n fwy na jyst snogs tafod. Mae fel snogs yr ymennydd a snogs y galon.

Dwi'n gwasgu botwm y ffôn i'w oleuo. Dim ateb wrth y Pump. Falle bo' nhw'n meddwl bo' fi'n pissed off. Falle dylen i 'di holi mwy am y gwaith Ffis.

Dwi 'di bod yn sylwi ar y chemistry rhwng Tim a Cat ers nos Wener diwetha yn y Shecws. Mae Tim definitely'n acto'n wahanol rownd Cat i shwt o'dd e'n acto rownd fi. Even pan o'n i'n dala'i law e. O'dd ei ddwylo fe ddim yn chwysu fel maen nhw'n chwysu pan mae e rownd Cat – dwi'n gweld e'n sychu ei ddwylo ar ei drowsus e loads. A dydd Llun, o'dd Tim yn dangos fideo YouTube o *Power Rangers* i Cat ac o'dd hi'n gofyn cwestiyne di-ri fel tase actual diddordeb 'da hi (mae Cat wastad wedi hêto shit superheroes). Â phob parch i Tim, sneb arall â taten o ddiddordeb yn y *Power Rangers*. So, dyna fi 'di colli Cat. A wedyn mae Aniq a Robyn hyd yn oed yn fwy pally-pally nawr gan fod y ddau'n neud gwaith cwrs Celf gyda'i gilydd ac yn treulio lot o'u hamser cinio'n fan'na.

Dwi'n gweud wrth Sam bo' fi 'di bod yn teimlo mor ffycin unig yn ddiweddar. Dwi'n gweud wrthi bo' ffrindie fi'n trefnu i gwrdd lan tu fas yn y tywydd oer ar bwrpas i stopo fi rhag mynd, a mae hi'n gweud wrtha i am gau ngheg. Dwi'n newid y pwnc wedyn a dwi'n gweud wrthi bo' clustie fi'n mynd yn sili o boenus yn y gwynt, a bo' nhw'n teeny tiny. Dwi'n gweud bo' fi'n edrych fel cwpan Costa a mae hi'n gweud bo' fi'n ciwt.

> Ochdin gwbo na 'soy' ydy un o prif achosion deforestation? Sa chdin well off yn byta cig lleol yn lle prynu wbath sy'n lladd coed o ochr arall y byd sti. Yn union fatha sa chdin prynu gwlan defaid lleol yn lle stwff di importio o fatha milltiroedd i ffwrdd ;)

> Ie ond jyst i baco fy hunan lan, dwi newydd gwglo a man gweud "More than three-quarters of global soy goes to animal feed" (77%) !! So surely bydde fen well tase pawb yn torri lawr ar gig fel dechreuad, o leia? A ie ie fine, fi defos angen prynu llai o ddillad. Any suggestions o le? ;)

Dwi'n mynd yn confused pam dwi 'di dewis y veggie life ambell waith. O'dd *Cowspiracy: The Sustainability Secret* yn neud sens pan watshes i fe ond wedyn mae pawb yn cadw gweud pethe gwahanol a dwi'n bennu lan ddim yn deall e 'to a mae e jyst yn rili gymhleth. Ond watshes i *Seaspiracy* y diwrnod o'r blân ac o'dd popeth yn neud sens 'to a na'th e atgoffa fi pam dwi'n gweud na i stwff fel fish fingers a chicken nuggets.

Er bo' ni'n anghytuno ar loads o stwff, dwi'n teimlo fel bo' ni'n dwy moyn yr un pethe yn y pen draw. Mae jyst y ffordd ni'n penderfynu cyrradd y pen draw 'na'n wahanol, I guess. Mae Sam yn byw ar ffarm ddefaid, a mae hi'n neud dillad mas o wlân y defaid mae hi'n ffarmo, sy mor cŵl.

Mae Sam yn gweud wrtha i bod hi 'di gadel yr ysgol haf diwetha achos bod hi 'di dewis y Lefel As rong a mai dyna'r penderfyniad gore mae hi eriôd 'di neud (to be fair, mae Maths, Biol a Busnes yn swnio fel hell on earth). A dwi'n gweud good for you achos dyw ysgol ddim i bawb ac o'dd e jyst ddim werth e os nag o'dd e'n neud hi'n hapus.

Dwi'n sylweddoli wedyn mod i'n crap am gymryd y cyngor dwi'n rhoi. Dyw'r ysgol definitely ddim i fi chwaith i fod yn hollol onest, a saimo pam dwi'n meddwl bod e'n beth normal i stryglan gymaint â hyn.

Dwi'n dechre teipo cwestiwn mas am yr arholiad Maths ar y Group Chat, jyst i weld a ydw i'n cael ateb yn syth. Dwi wedyn yn double-clicko botwm y ffôn a dwi'n ca'l gwared ar sgrin Snapchat achos sai moyn meddwl am y peth am y tro.

Dwi'n agor y llyfryn cerddi Cymraeg. Dwi rili ffaelu wynebu Ffis heno. Dwi ffaelu wynebu Ffis unrhyw bryd, a bod yn onest. Dwi'n mynd ar y ffôn i gwglo cefndir y cerddi, ond wedyn dwi'n bennu lan ar YouTube yn watsho fideos/slideshows naff ohonyn nhw. Dwi'n tsieco oes Twitter gyda'r beirdd (sai'n boddran tsieco R Williams Parry). Dwi'n rhoi Follow bach i bob un. Ma hynna'n cyfri fel adolygu, surely?

Sdim pwynt i fi hyd yn oed boddran 'da Ffiseg a Maths. Bydde'n well 'da fi ddarllen pethe dwi'n joio a neud yn dda yn rheina. Is that so wrong?

☹ Y Pump ☺
TIMMORG
Sut mae'n mynd gyda pawb?
CAT'X
Dwin bored. Dal fyny am chips prynhawn ma? Fatha 5?
ANIQMSD
Ella fydda i chydig yn hwyr (am ddechra Hanes in a bit) ond keeeeen
TIMMORG
Dwi ddim yn gallu heddi yn anffodus. Ma cousin Mam gyda ni am y penwthnos.

Dyw hi ddim yn gwestiwn o fod up for it. Joien i weld y Pump yn fwy na dim byd yn y byd, ond mae'n teimlo'n gorfforol ac yn feddyliol amhosib. Mae nghymale i'n sgrechen, a mae tu mewn pen fi'n teimlo fel tase rhywun yn berwi tegell heb ddŵr ynddo fe, a dwi heb neud hanner digon o adolygu i allu nailo'r bit Llenyddiaeth yn y moc Cymraeg.

Dwi'n dechre teipo ymateb sy ddim necessarily'n gwrthod y cynnig yn gyfan gwbwl, ond un sy'n gosod rhyw fath o rwystr i'r trefniade. Rhoi spanner in the works, fel bo' fi ddim yn dod drosto fel party pooper llwyr unwaith 'to.

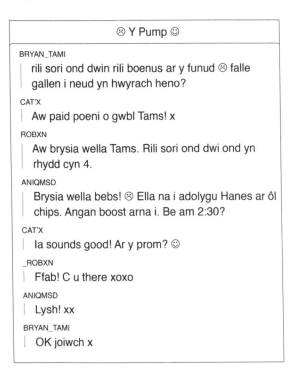

Dwi'n meddwl bod e'n edrych bach yn moody heb yr 'x', so dwi'n penderfynu rhoi e i mewn yn y diwedd. Dwi'n teimlo rhyddhad yn syth, er bod yr euogrwydd yn gwasgu ysgwydde fi fel tad balch. Dwi jyst yn gweld e bach yn weird bo' fi a Robyn 'di cynnig rhyw alternative plan, a bo' nhw 'di penderfynu mynd gyda awgrym Robyn. Dunno, falle mai fi sy'n gorfeddwl.

Dwi'n trial neud i fy hunan deimlo'n well. Dwi'n gwbod bo' Cat yn colli fwy neu lai'r un faint o ysgol â fi ond dyw e ddim fel tase fe'n boddran hi gymaint. Mae hi jyst wastad mor hapus a sai'n gwbod shwt mae hi'n neud e.

Tro diwetha ges i flare-up, na'th llefen newid siâp wyneb fi am ddiwrnode. Dim ond Mam sy 'di gweld fi fel'na. Ges i ymateb rili wael i'r dagre a dechreuodd croen fi losgi lle bynnag o'dd y dagre'n twtsh, fel tasen nhw'n ddarne o garped yn llusgo lawr boche fi. O'dd e'n rili weird. Dwi mor pathetic dwi ffaelu even llefen? Dwi'n edrych ar y to i stopo fy hunan rhag neud, achos mae llefen yn neud dolur.

Mae'n edrych fel tase Aniq a Cat a Robyn yn ca'l whale of a time. Mae Cat 'di rhoi fideo lan ar Instagram o Robyn yn taflu chips at y gwylanod, ac Aniq yn rhoi hwyth i Robyn i'w stopo fe. Dwi'n watsho fe ar lŵp. Mae'u gweld nhw'n chwerthin ac yn codi'u coese ar y fainc i osgoi'r gwylanod yn neud i fi wenu. Mae e fel watsho ffilm o'u bywyde nhw a mae rhywbeth trist am y drygioni a'r hapusrwydd diniwed 'na o mlân i. Dwi moyn gwasgu pob un ohonyn nhw'n dynn a gweud mod i'n caru pob un ohonyn nhw'n shwps, ond dwi ffaelu ca'l fy hunan i Likeo fe.

Be di hoff liw chdi by the way?

Piws – got to be. Be am ti?

Beige dwin meddwl

Lol tin serious? Nage de

Tin real southie efo dy de lol

Beanie hat piws coming your way lly ;) I dy glustia bach poenus

Omg tin serious? Yaaas diolch gymaint, Sam!! xxx

Tin mynd i edrych yn rili hot ynddo fo

Dwi'n gwenu fel ffŵl. Dwi'n troi'n ôl at Twitter i edrych ar profile pic fi jyst i weld be mae Sam yn gweld pan mae hi'n meddwl amdana i. Dwi'n eitha lico profile pic fi ar y funud. Dim ond hanner top wyneb fi sy'n dangos a dwi'n edrych am lan, a mae'r poster 'Crëwch gelf, nid rhyfel' yn steil y saithdege na'th Tim i fi i'w weld yn y cefndir (pan o'n i'n GF iddo fe, ha-ha), a mae'r eiddew yn hongian wrth ochr chwith fi. Mae 'da fi lwyth o eyeliner a mae ffrinj fi'n rili fyr. Dwi'n meddwl bo' fi'n edrych yn eitha pert am unwaith.

𝗛𝗛𝗜

Dwi'n fflwffo body pillow fi lan ac yn gosod coes dde fi drosto, fel plentyn bach clingy sy ddim moyn gadel fynd wrth ei fam. Am nawr, dwi'n gorfod aros yn y gwely nes bo' pethe bach yn well. A mae gwbod y bydda i'n dihuno un bore yn teimlo llai o boen yn cadw fi i fynd, hyd yn oed os yw'r bore 'ny'n bell bant.

Bydd pethe lot melysach y bore 'ny. Dyw hyn ddim am byth, Tams. Ti'n mynd i fod yn OK.

Dwi 'di gweud wrth fy hunan bo' fi dim ond yn mynd i tweeto yn Ffrangeg tan y moc, so I better bloody smash it. Dwi'n dilyn loads o accounts Ffrangeg erbyn hyn. Jyst y rhai 'da memes funny rili, a dwi'n joio gweld shwt maen nhw'n byrhau geirie i ffito character limit Twitter, achos obvs mae'n anoddach neud hynna'n Ffrangeg.

Dwi'n tapo'r bluen las i greu tweet newydd. Dwi moyn rhywbeth byr mae pobol yn debygol o neud Google Translate arno fe.

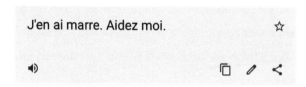

(Dwi 'di cael digon. Helpwch fi.)

Sai'n gwbod pam dwi'n teimlo'r angen i tweeto hyn. Dwi'n credu bod hawl 'da fi deimlo'n sori dros fy hunan weithie.

4

SYMUDES I DRYCH fi i bedrwm Llŷr neithwr. Ddim necessarily achos bo' fi ddim moyn gweld shwt olwg sy arna i ar fore dydd Llun (OK ie, falle hynny 'fyd), ond achos bydde diffyg drych mewn stafell yn neud i fi gysgu'n well, yn ôl y sôn. O'dd y Pump yn baffled bo' fi, o bawb, yn edrych mewn i stwff spiritual fel feng shui, ond I actually get it. Mae drych apparently yn bownso egni rownd y stafell, sy'n neud i fi boeni mwy ac yn neud i fi deimlo mwy on edge. A mae ca'l drych gyferbyn â'r gwely yn big no-no, sy bach yn annoying achos y bachyn gyferbyn â'r gwely yw'r unig fachyn sy 'da fi. Falle bydde'r mocs ddim 'di mynd mor crap tasen i 'di symud y drych mas o'r ffordd.

Pwy feddylie mai drych o'dd gwraidd holl brobleme mywyd i? Honestly.

Ges i gwd declutter ar stwff o'n i heb iwso ers ages 'fyd. Os o'n i heb wisgo dilledyn ers tri mis, o'dd e'n ca'l ffling. O'dd lle yn y wardrob i'r stwff o'dd ar y llawr wedyn, plus ffindies i fel tri glass o hen sudd oren 'da bits glas a llwyd ynddyn nhw o dan y gwely. Wps.

Dwi'n lico meddwl bo' bywyd yn mynd i wella'n sylweddol ar ôl hyn i gyd. Bring on the good vibes.

卌

"So be ydy'r gwahaniaeth rhwng feng shui a hygge?" mae Robyn yn gofyn yn y bistro wrth droi'r sbageti rownd ei fforc. Wedyn dwi'n watsho fe'n sugno llond ceg ohono'n ddiffwdan fel Dyson posh ni yn y cwtsh dan stâr. Mae e'n edrych mor sophisticated yn ei siôl paisley pastel. Dwi ddim yn meddwl bo' fi 'di gweld e'n gwisgo'r un 'na o'r blân.

"O'n i'n meddwl ma 'hig' oedda chdi fod i ddeud, nid 'hw-ga'?" mae Cat yn holi. Dwi'n trio cadw wyneb siriys.

"Ha-ha na, 'hw-ga' yw e dwi'n credu. So ie, ma feng shui yn rhywbeth Chinese a ma fe'n fwy spiritual, I suppose. Ma fe mwy am layout y stafell, lle ma hygge yn rhywbeth Danish a ma'n fwy ambiti'r cosiness a socs trwchus a mỳg o hot chocolate a fairy lights, chimo? Achos bo' nhw'n gorfod ffindio rhywbeth positif mas o'r gaeafe tywyll ma nhw'n ca'l. Basically ma'r ddau all for the positive energy a chi'n gwbod bod isie hwnna arna i ar y funud."

Dwi ddim rili moyn mynd mlân i siarad am yr

arholiade, er dwi'n gwbod bod hynny i ddod achos bai fi yw bo' fi 'di kind of bennu'r frawddeg 'da cliffhanger fel'na. Dwi'n siarad mwy.

"Stwff rili wholesome ac Insta-worthy, chimo? Fel bo' fi got all my shit together. Sy falle bach yn ironic achos sai'n credu bydde Instagram yn cyfri fel rhywbeth hygge iawn i neud."

"Ti'n OK, Tami? Ti'n siarad gormod." Damn you, Tim, yn siarad mor onest. Dwi'n pwyso mhen ar ei ysgwydd e.

"Oww dwi'n OK, Tim. Jyst yn gwbod bod yr exams 'di mynd yn shitty shit a dwi'n absolutely dredo ca'l y results 'nôl prynhawn 'ma."

卌

Dwi'n plygu corneli top y papure arholiad i gyd am i mewn pan dwi'n eu derbyn nhw, fel bo' neb yn gallu gweld y marcie ges i yn fflasho'n goch fel rash. Sdim ots 'da rhai pobol ddangos eu canlyniade nhw, hyd yn oed os dy'n nhw ddim yn hapus. Wel, dwi ddim yn berson fel'ny o gwbwl a dwi'n hêto bo' fi mor secretive, bron yn defensive, ond dwi jyst byth yn gwbod shwt i ymateb pan mae rhywun yn gofyn i fi be ges i a gweud, "A, da iawn" mewn ffordd mor half-hearted a bo' fi wedyn yn gorfod gwenu ac esgus bo' fi'n chuffed, neu gyfadde bo' fi ddim yn hapus ond bo' fi actually'n fine am y peth, onest.

Dwi'n ffono Richard i ddod i bigo fi lan o'r ysgol yn gynnar. Sai'n gweud wrth y Pump bo' fi'n mynd. Haws peidio, a can't be arsed i lefen yn yr ysgol. Yn y car, sai'n gweud wrth Richard bo' fi di ca'l results. Sai'n gweud unrhyw beth o gwbwl wrtho fe yr holl ffordd gytre, dim byd heblaw, "Achos bo' cefen fi'n dost" a "Tro fe i Radio 1". Mae hi'n pisho bwrw a dwi'n watsho'r wipers yn panico wrth daflu'r dŵr o un cyfeiriad i'r llall. Maen nhw'n trio'u gore i dwtsh â'i gilydd ond yn methu bob tro. Dwi'n hala gweddill y prynhawn yn llefen yn stafell fi.

Ar ôl hala cwpwl o orie 'na, alla i gadarnhau nag yw diffyg drych yn neud taten o wahanieth i mood fi.

Dwi'n hwthu nhrwyn 'da'r un tishw fi 'di bod yn iwso ers cyrradd gytre. Get a grip, Tams. Mae mwy i fywyd na blydi exams. Dwi'n twlu'r tishw i'r bin a mae e mor wlyb dwi'n gallu twlu fe'n bell a dwi actually'n llwyddo i ga'l e mewn.

Dwi'n ffeindio loads o wybodaeth am brentisiaethe ac internships gwahanol.

Wedyn dwi'n ca'l neges wrth Sam.

> Im aware da ni heb gyfarfod eto ond on in meddwl sa fon fun anfon llynia in gilydd.
>
> Pa bit o corff chdi tin falch o fwya a pam? (Dim clustia bach chdi tro ma hah) Na i neud os tin neud x

Dwi'n sleido bys fi i lawr y sgrin i weld preview. Fi ffaelu helpu gwenu wrth ddarllen e eto ac eto. Ond dwi literally ddim yn cofio'r tro diwetha i fi deimlo'n prowd o nghorff i. Ydy e'n normal i ofni corff dy hunan?

Dwi'n mynd i bedrwm Llŷr i nôl y drych. Dwi'n gwbod bod rugby training gyda fe heno so dwi'n ca'l gwd pip rownd.

Dwi'n llusgo bys fi ar hyd ei ddesg e. Dim dwst o gwbwl. Sdim even smell socs drewllyd, heblaw pan ti'n rili stico trwyn ti yn y bin dillad brwnt. Mae un glased peint o hen ddŵr ar ben coaster ond sdim byd stici yn unman. Dwi'n impressed 'da pa mor lân yw e. Mae 'da fe medals a tariane rygbi fe ar shilff uwchben y ddesg, ac odani mae turntable a hen records mae e hanner 'di dwyn off Richard, a hanner 'di bod yn casglu off eBay, sy'n edrych fel tasen nhw 'di ca'l mwy o ofal yn y flwyddyn ddiwetha 'ma nag yn y pedwar deg mlynedd blaenorol gyda'i gilydd.

Dwi'n fflico drwy'r records ac yn tynnu un vinyl mas dwi heb glywed am y band o'r blân, jyst achos bo' fi'n lico'r enw. Dwi ddim yn siŵr ife band o Ffrainc yw'r Cocteau Twins, ond probably not os mai hen vinyl Richard yw e. Dwi heb iwso record player Llŷr o'r blân so dwi'n gafael yn ochre'r ddisg, kind of bach yn nyrfys, yn trio peidio twtsh â'r wyneb rhag ofn bo' fi'n crafu ddi.

Dwi'n gollwg braich y turntable ar rywle random, ddim yn rhy agos i'r ochor rhag ofn bod e'n slipo lawr. Dwi'n edrych ar gefen y casyn a meddwl falle mai 'Lorelei' yw'r trac nesa. Dwi'n sloto'r drych rhwng y wal a'r turntable a dwi'n ishte ar y gwely.

Sai'n siŵr a yw'r Cocteau Twins yn canu mewn unrhyw iaith o gwbwl. Maen nhw bron yn mewian, ond I like it. Mae'n neud i fi deimlo fel bo' fi ddim yn stafell Llŷr o gwbwl. Dwi'n teimlo bo' fi'n bell bant a mae e bron fel tasen nhw 'di darllen meddwl fi a 'di trosglwyddo'r meddylie mewn i synau. Mae'n teimlo'n arallfydol.

Dwi'n cico'r drws ar gau ac yn datod botwm arall ar fy nghrys ysgol i.

Mae wal lliw mwstard a good lighting bedrwm Llŷr yn neud i nghroen i edrych yn rili smooth, fel tase rhywun 'di gorchuddio fi mewn mêl. Dwi'n watsho fy hunan yn datod y botyme i gyd. Dwi'n gwisgo mesh bra gwyn rili see-through a mae'n edrych yn amazing o'r ochor, bron fel bo' fi ddim yn gwisgo bra o gwbwl. Dwi'n rhoi'r ffôn o flân wyneb fi a dwi'n tynnu llun o'r drych. Dwi'n cymryd fel tri deg llun o ongle gwahanol fel bo' fi'n gallu dewis ohonyn nhw wedyn.

Wedyn dwi'n gorwedd yn fflat ar y gwely ac wrth i'r person ganu 'Da-daw da-daw da-daw da-daw' dwi'n tynnu clip ffrynt y bra off, cyn codi eto a throi i'r chwith. Dwi'n twtsh â bŵbs fi gydag un bys, fel tasen i'n teimlo nhw am y tro cynta, a dwi'n mwytho'r dots bach meddal pinc un wrth un. Weird, ond sai'n meddwl bo' fi 'di hala amser yn edrych ar bŵbs fi lot. Maen nhw jyst 'na. Ond mae'u gwasgu nhw'n comforting. Dwi'n plygu nghefen am yn ôl fel bo' ngwallt i'n gollwng fel cawod y tu ôl i fi, a dwi'n tynnu rhagor o lunie.

Mae'r gân yn bennu'n sydyn a dwi jyst yn steran ar fy hunan am bach cyn gwisgo'r crys 'nôl. Sai'n siŵr a ydw i'n clywed Richard ar waelod y stâr. Dwi'n mynd â'r drych 'nôl i'n stafell i rhag ofn bo' fi moyn iwso fe nes mlân, a wedyn dwi'n mynd i stafell Llŷr unwaith 'to i roi popeth 'nôl fel o'dd e, i ga'l gwared ar bob tystiolaeth bo' fi 'di bod yn hango mas 'na.

Dwi'n dechre draffto neges yn Notes fi.

> **Llun**
>
> Mae'n rhaid i fi fod yn onest, 'nes i stryglan i feddwl
> am ddarn o'r corff dwi'n falch ohono i ddechre. Tasen
> i 'di gorfod disgrifio fy hunan cwpwl o flynyddoedd yn
> ôl, bydden i 'di gweud bo' fi'n 'hapus', 'penderfynol',
> 'hyderus', ond dwi jyst ddim yn gwbod shwt i ddisgrifio fy
> hunan erbyn hyn. Mae'r hyn o'n i, yr hyn dwi moyn bod,
> a'r hyn dwi moyn neud wedi newid cymaint yn y flwyddyn
> ddiwetha.

O god, Tams, lighten up. Sai'n credu mai bod yn misery guts odd y nod. Dwi'n deleto popeth, yn didoli'r llunie a dwi'n dewis un o'r llunie diwetha.

> **Llun**
>
> Dyma fy side boob dde. Ma un boob yn fwy na'r llall, ond
> dwi'n falch o hyn achos dwi'n hoffi meddwl bod gen i galon
> fawr ♥ ♥ ♥

Haws cadw stwff yn syml. Dwi'n gwglo a ydy'r galon ar yr ochor chwith jyst i neud yn siŵr. Dwi'n credu bo' fi'n prowd o fy hunan. Dwi'n prowd bo' fi'n wynebu'r shit 'ma bob dydd ac actually'n dod trwyddi, hyd yn oed pan mae pethe'n teimlo'n amhosib.

Dwi'n hala'r neges jyst cyn i fi fynd i gysgu, yn y gobaith y bydd ateb yn disgwl fi yn y bore. Ond wedyn dwi'n panico ac yn cwestiynu a ddylen i fod wedi tynnu llun o nhraed i neu rywbeth achos, to be fair, maen nhw'n mynd drwy lot. Ond wedyn dwi'n meddwl realistically, fydden i ddim moyn hala llun o rheina achos dwi heb nail varnisho ers sbel a maen nhw'n kind of edrych fel Monster Munch heb nail varnish.

Dwi'n diffodd y gole.

5

DWI'N GWELD ANIQ a Robyn yn glou rhwng cofrestru a gwers un. Dwi ar fy ffordd i Ffrangeg a maen nhw'n dala lan 'da fi.

"Tams! Tami!"

"O, hei, Ani. Ti'n OK?"

"Be sy? Pam ti'm yn ateb Snapchats ni?"

"O sori, o'n i ddim ar ffôn fi o gwbwl neithwr."

"Ti'n OK? 'Nest ti fynd adra yn gynnar ddoe?"

"Ie, dwi'n iawn. 'Na i esbonio amser cinio?"

Dwi'n gwthio fy hunan mlân ar gyflymder (for dramatic effect), er bo' fi bum munud yn gynnar i'r wers yn barod. Honestly, sai'n gwbod shwt a pam maen nhw'n rhoi lan 'da fi weithie. Dwi heb siarad â nhw'n iawn ers dyddie a dwi'n gwbod bydde hynna'n pissan fi off gymaint.

Dwi'n mynd draw i ishte reit yng nghefen y stafell, ar bwys y ffenest a'r radiator achos dwi'n gwbod bod y radiator yn mynd i fod arno peth cynta'n y bore. Dwi'n rhoi braich fi rhwng y ddau ddarn metel ond dwi'n gorfod tynnu hi mas yn syth achos mae'n boiling. Sdim dowt mai radiators ysgol yw'r radiators twyma ti'n gallu ca'l, ond mae'r stafellodd wastad yn freezing. Sai'n rili deall?

Dwi'n goleuo sgrin ffôn fi i tsieco'r amser ac i tsieco oes neges wrth Sam yr un pryd. Dim neges. Dwi'n anghofio actually tsieco'r amser so dwi'n goleuo ffôn fi 'to. Dwi'n pwyso'r fraich losgedig ar y ford i gwlo lawr, sy'n rili soothing, a mae nghroen i'n teimlo'n rili feddal.

Mae Rhydian yn dod i ishte ar bwys fi. Mae e wastad yn mynd i'r ffrynt, hm. Ni i fod i ga'l gwers mynegi barn heddi a dwi'n fwy na siŵr bod e 'di dod i ishte ar bwys fi jyst i roi fi off. Dwi'n gwenu a wedyn yn gwgu arno fe o fewn yr un eiliad. Dwi'n cau cas pensils fi ac yn sleido fe i ochor y ffenest.

"Na, so ti'n ca'l tynnu llun o goc glyb ar rubber fi heddi, cyn i ti ofyn."

"Pwy ddudodd bo' fi isio?"

Mae e'n edrych fel tase rhywbeth mlân 'da fe. Mae'i wên e fel tase fe'n gwbod rhywbeth dwi ddim. Mae'r gap rhyngdda i a fe'n teimlo fel tase fe'n cau.

Mae Madame John yn rhoi music video mlân o'r gân 'ma gan artist o'r enw Diam's, 'Ma France à moi' (sy'n cyfieithu i rywbeth fel 'Fy Ffrainc i fi'), ac er bod e 'di ca'l ei neud tua deg mlynedd yn ôl, my gosh, mae'r geirie'n dal i fod mor berthnasol ag eriôd. Mae'n hollol class a dwi'n glued iddo fe tan yr eiliad ola un. Dwi ddim yn deall be mae hi actually'n gweud heblaw ambell air fel 'Respect' ac er bo' fi ddim yn deall y rap ei hunan mae'n amlwg o'r fideo fod Diam's yn grac 'da shwt mae'r wlad yn trin pobol sy'n mynd yn erbyn y ddelwedd stereotypical a rhamantaidd o Ffrainc, yn enwedig y cymunedau o fewnfudwyr. A'i bod hi'n gweld ei Ffrainc hi fel gwlad gynhwysol lle gall pobol fod yn bwy bynnag maen nhw moyn ac uniaethu fel Ffrancwyr ar yr un pryd.

Mae Madame John yn rhoi tasg i ni gyfieithu cwpled o'r gân mewn parau. Pan dwi a Rhydian actually yn gorfod cyflawni tasg benodol gyda'n gilydd, ni'n cydweithio'n eitha da a mae e'n brofiad syndod o bearable. Dwi'n gadel i Rhydian fflico drwy'r geiriadur tra bo' fi'n neud y gwaith meddwl. Ac ar ôl pendroni dros ambell air, ni'n cyfieithu'r cwpled fel hyn:

Mae fy Ffrainc i yn gymysg, ydy, mae'n enfys,
Mae'n dy boeni di, dwi'n gwybod, gan nad yw hi dy
eisiau di fel esiampl.

Mae'n gwpled mor bwerus. Dwi'n penderfynu

sgwennu'r geirie lawr yn Notes fi fel bo' fi'n gallu eu hastudio nhw'n fwy gofalus ar ôl mynd gytre. Dwi'n ffindio'r gân ar Spotify 'fyd so dwi'n ychwanegu ddi i'r playlist 'Choonz'.

"Ti isio number Garin?" Mae tafod Rhydian yn ei foch e – literally – wrth edrych i lawr ar ffôn fi. Ife dyma pam mae pobol yn dweud 'tongue-in-cheek'? Ydy e'n actual thing? Sai'n siŵr a ydy e'n jocan ond dwi'n cymryd e fel jôc eniwei.

"Ymm, na, dwi'n oreit diolch." Mae e'n dawel am bach so dwi'n dechre Tipp-Exo'r sgribls naethon ni rownd y cwpled Ffrangeg fel bod e'n edrych fel darn ffresh o bapur.

"Mae o'n gofyn os gawn *ni* weld milky fun bags chdi 'fyd?"

"O god, be?" Dwi bron yn tagu ar ddim byd.

"Tgbo, tiddies chdi. Deryn bach 'di deutha fi gin ti rai neis."

Ti'n gwbod pan mae calon ti'n teimlo fel bod e bron â cwmpo off stôl a mae chwys yn llifo mas o wyneb ti? Fel'na dwi'n teimlo, ond gyda bach o sic yn ceg fi 'fyd.

"Ti actually yn… *horrible*."

Dwi'n aros yn dawel drwy weddill y wers a mae Madame John siŵr o fod yn gwbod bo' rhywbeth mlân achos bydden i definitely 'di cyfrannu at y sgwrs heddi. Ond 'na be dwi'n lico am Madame John. Mae hi'n gallu synhwyro pan dyw pethe ddim cweit yn hunky-dory 'da fi a mae hi jyst yn gadel llonydd i fi ac yn holi ar ddiwedd y wers ydy popeth yn OK. Dwi'n rhoi mhen i lawr am weddill y wers ac yn cau'n llyged i'n dynn.

Mae tu fewn pen fi'n dywyll, ond mae'r shooting stars gwyn sy'n ymddangos nawr ac yn y man yn mynd â fi i bob math o lefydd wrth i fi drio gweithio mas pam yffach bydde Rhydian 'di gweud hynna tase fe heb weld llun fi neithwr. Ac os ydy e wedi gweld llun fi neithwr, shwt yffach bydde fe 'di gweld e? Na'th Llŷr weld fi'n bedrwm e neithwr neu oes 'da fe gamera'n ei stafell e? Neu ydw i 'di hala'r llun i'r person rong neu ydw i 'di rhoi e ar social media ar ddamwain? Neu'n waeth byth, ife Rhydian neu un o'r BeiblLads yw Sam?

Fuck me, dwi ffaelu aros yn y wers.

"Ça va, Tami? Popeth yn iawn?" mae Madame John yn sibrwd.

"Dwi'n OK – jyst teimlo bach yn wan."

Dwi'n ca'l gadel y wers yn gynnar.

Dwi'n hango mas ar y bean bag yn yr Hafan tan amser cinio a dwi'n hala'r amser yn edrych 'nôl drw convos fi a Sam. Dwi'n sgrolo ac yn sgrolo am ages i chwilio am unrhyw fath o gliw, i weld a ydw i wedi methu unrhyw beth. Dwi'n iwso un llaw i ddala'r ffôn ac un llaw i sgrolo fel bo' fi ddim yn anfon sticer neu rywbeth iddi.

Dwi'n meddwl pob math o bethe.

Gall Sam fod yn cerdded yr ysgol 'ma'r funud hon, yn pisho'i hunan ar be sy newydd ddigwydd. Mae hi'n gwbod yn iawn pwy ydw i a bŵbs fi nawr, a sdim unrhyw fath o syniad 'da fi pwy yw hi.

Ond dwi'n gwbod deep down bod Sam yn bodoli.

Dwi'n gwbod. Dwi'n gwbod.

6

DWI'N GALW AM crisis meeting gyda'r Pump, a maen nhw'n meddwl bod e'n random ac yn ddi-sail. Obviously dy'n nhw ddim yn gwbod am Sam, so maen nhw'n meddwl bo' fi'n bod yn ddramatig am ddim rheswm. Dwi bach yn offended bod Tim a Robyn ddim yn gallu dod, yn enwedig gan bo' fi 'di gweud yn benodol mai creisis yw e.

Ni'n mynd ar y bws 'nôl i dŷ Cat. Dwi ac Aniq yn mynd lan i stafell hi'n syth, tra mae Cat lawr yn paratoi'r te. Ni'n taflu dwfe a clustoge Cat i gyd ar y llawr ac yn creu den bach yng nghanol y stafell.

Dwi'n hwdu'r stori mas ac yn gweud popeth am Sam ac am y llun a'r ffaith bo' Sam heb ateb fi, a wedyn dwi'n gweud am Rhydian bore 'ma.

"What?! Na'th Rhydian actually deud hynna? Mae o'n disgusting." Mae Cat yn tagu wrth drio llyncu'r Custard Cream o'dd hi 'di dynco yn ei the.

Sai'n yfed te so mae Cat yn cadw stash o Monster

Energy yn y cwpwrdd i fi rhag ofn. Dwi'n codi'r pishyn metel ar dop y can a mae e'n ochneidio mewn rhyddhad.

"Dwi actually ddim mor bothered â 'ny am y llun. Fel, bŵbs y'n nhw ar ddiwedd y dydd, come on. Ond dwi jyst yn becso achos bo' fi 'di gweud stwff wrth Sam fydden i ddim yn meiddio gweud wrth neb arall, chimod?" Dwi'n tapo bysedd fi yn erbyn y can. "Wedes i wrthi bo' fi'n teimlo'n rili unig ond dwi ddim actually. O bell ffordd. Fel, dwi'n gwbod bo' chi wastad yn mynd i fod 'na i fi, dim ots be."

Mae Aniq yn gosod clustog reit ar bwys fi a mae hi'n ishte ac yn rhoi ei braich rownd fi. Mae Cat yn rhoi ei phen hi ar draed fi ac yn mwytho nghoes i. Mae fel tasen ni'n chware musical statues am rai munude.

Dwi'n teimlo fel person gwahanol pan dwi gyda combinations o bobol wahanol. Ydy hynna'n weird? Dwi'n berson rili chilled rownd Aniq a Cat am ryw reswm. Dwi'n credu achos bo' fi 'di nabod nhw ers ysgol gynradd.

"Ma traed chdi'n pongio," ma Cat yn cyhoeddi.

"Ffyc off!"

Mwya ni'n clywed chwerthin ein gilydd, mwya ni ffaelu stopo.

"I suppose yr unig beth alli di neud ydy gadal iddo fo i redeg ei gwrs ac aros i Sam ateb, 'de?"

"Ti'n siarad gymint o sens, Ani."

Na'th Miss roi Aniq fel buddy i fi pan symudes i i'r ysgol gynradd ym Mlwyddyn 5 a na'th hi aros reit wrth ochr fi am basically'r holl ddwy flynedd o'n i 'na. O'dd hi'n dod draw i chware gyda fi ar ôl ysgol pan o'n i'n styc yn y gwely yn gwella ar ôl dislocato coes fi ac o'dd hi gyda fi'n dewis cadair olwyn gynta fi cyn dechre yn Ysgol Gyfun Llwyd. Mae Aniq mor famol a sownd a sensible a bydden i'n trysto hi i neud pob penderfyniad drosta i.

Dwi'n cofio o'dd Miss 'di rhoi fi a Cat ar yr un ford yng nghefen y dosbarth. Naethon ni bondo dros pencil case fflwffi oren hi ac o'dd hi wastad isie go ar fountain pen fi. Dwi'n cofio unwaith, yng nghanol gweddi, 'nes i ddangos iddi shwt o'n i'n plygu bys bawd fi reit 'nôl at garddwrn fi a na'th hi jyst sgrechen, so o'n i'n neud e weithie yn ystod y weddi cyn diwedd y dydd out of the blue jyst i freako hi mas. Mae hi'n cadw gweud bod Duw 'di neud hi'n sâl achos bod hi'n giglan yn ystod gweddi. So, bennon ni'n tair lan yn hala pob munud o'r dydd gyda'n gilydd. O'n i'n lico ysgol gynradd.

"Ond be os neith Sam ddim ateb? Sai actually 'di neud dim byd yn rong?"

"Be ydy username hi ar Twitter?" Mae Cat yn ymestyn am ei ffôn o dop y cwpwrdd.

"@samandchips"

"Ha-ha rili? OK…"

"Dwi'n meddwl bod e'n funny."

"Ma hi 'di tweetio loads y dyddia dwytha 'ma, Tams. She's active, that's for sure." Mae Cat yn lico neud acen Americanaidd yn ddiweddar.. Mae hi'n swnio'n union fel Robyn. A mae Tim yn joio pan mae Robyn yn siarad fel'na.

"Ie, ond dwi'n siarad â hi ar WhatsApp. Falle bod hi heb fod ar hwnna."

"Hm. Dunno, Tams. Be am Insta?"

"Dim ond ar Twitter dwi'n dilyn hi."

"Pam ti'm yn dilyn hi ar Insta 'ta?"

"Dunno. O'n i ddim rili'n teimlo'r angen i neud achos o'n ni'n siarad gymint eniwei." Dwi'n meddwl am bach. "I guess dwi'n lico'r mystery bo' fi ddim yn gwbod pwy yw hi?!"

"Hm."

"Be?"

Dwi'n gorffen diferion diwetha'r can ac yn cynnig mynd i neud paned arall i Cat ac Aniq tra bo' fi'n nôl glasied o ddŵr i fi'n hunan. Ond wedyn mae Cat yn codi'n syth, gafael yn ei mỳg hi ac Aniq a rhuthro lawr stâr heb weud dim byd. Awks. Sai'n siŵr faint ma Cat ac Aniq yn siarad erbyn hyn actually. Ond i fod yn deg, sai 'di siarad 'da Aniq ar ei phen ei hunan yn iawn ers ages chwaith. Dwi byth yn gofyn iddi shwt mae pethe rhagor, achos mae loads o amser 'di bod ers popeth nawr a sai'n gwbod ydy hi moyn siarad am y peth.

"Shwt ti'n teimlo am… stwff… nawr?"

"O, dwi'n iawn sti, Tams. Poeni mbach am Abba, ond dwi'n OK, sti."

"Ie, sai 'di gweld dad ti ers ages, timod. Ers yr haf probably…" Dwi'n oedi. "Pam ti'n becso ambiti fe?"

"Mbo. Dwi'm yn siarad lot efo fo. Mae o'n aros yn ei wely drwy'r dydd so dwi'm yn gweld o o gwbwl rhai dyddia. A dwi'm yn siŵr os ydy o'n y tŷ o gwbwl weithia." Dwi'n edrych ar Aniq yn rhwygo'r croen rownd ei gwinedd hi. "Ond dwi'n mynd draw at Daadi lot, obviously. Ma hi'n edrych ar ôl fi yn ei ffordd sbesial hi, tbo?" Mae Aniq yn rowlio'i llyged.

"Ha-ha, hell of a woman, nain ti! Lyfo shwt dyw hi ddim yn give a shit am unrhyw beth. Cofio pan ddes i a Cat draw am de ar ôl ysgol ac o'dd hi 'di twymo'r platie yn y ffwrn, ac o'dd hi 'di anghofio pa mor dwym o'n nhw so o'dd hi'n fflingo nhw draw fel frisbees aton ni a na'th Cat swyrfo a smashodd y plât ar y llawr?"

Mae Aniq yn snorto. "Ma hi dal yn neud hynna!" Mae'n codi ar ei heistedd. "Ond na, dwi'm yn gwbo' be fyswn i'n neud hebddi rili."

Dwi'n rhwbo'i braich hi. Mae Aniq yn gwbod yn union be i weud bob tro. Dwi'n trio meddwl am rywbeth bydde Aniq yn gweud, ond dwi'n gwbod mai dim ond hi sy'n gallu neud i bobol deimlo fel mae hi'n neud. Ond dwi moyn bod 'na iddi, fel o'dd hi reit wrth fy ochr i pan o'dd angen hi arna i.

"Wel dwi'n gwbo' bydde Ammi'n browd iawn o bopeth ti'n neud."

Mae Aniq yn gwenu, ac yna mae hi'n anadlu i mewn yn gyflym ac yn blinco, fel tase hi'n trio stopo dagre.

"Be am i ni actually neud rhywbeth i pen-blwydd ti wthnos nesa? Ma ages ers i ni neud rhywbeth fel Pump. Geith pawb ddod i tŷ fi a – oh my gosh – nag yw parti Siriol wthnos nesa hefyd? Bydd Mam yn fodlon neud byffe bach a gewn ni ddathlu pen-blwydd ti'n iawn, fel rhyw fath o joint event kind of thing."

Mae Cat yn cico'r drws ar gau wrth gario'r hambwrdd i mewn, a mae Aniq yn gafael yn y mỳg Mini Eggs ac yn cymryd y sip gofalus cynta o de ffresh.

7

"IFE ANGEL SLICES neu Fondant Fancies ma Ani'n obsessed 'da nhw?" dwi'n holi Robyn wrth stwffo'r ddau becyn yn ei wyneb e.

"Dwi'n meddwl Angel Slices ond ty'd â'r ddau." Dwi'n gwrando ar Robyn ac yn gollwng y ddau becyn yn y fasged ar fy nghôl i.

"A ffyc it, ma Caramel ar offer so hwpa hwnna mewn 'fyd. A botel arall o Coke." Dwi'n meddwl mod i bach yn over-excited am mash-up pen-blwydd Aniq/parti Siriol heno.

Mae Mam wedi stopo yn y siop i ni ar y ffordd 'nôl o'r ysgol, ac wedi cytuno i brynu drincs so dwi a Robyn yn mynd 'nôl i ishte yn y car tra mae hi'n talu. Mae Robyn wastad yn dod i'r tŷ cyn pawb pan mae parti mlân, jyst achos bod e'n lyfo'r sesh.

Mae'n rili handi ca'l BeiblLad fel hanner brawd weithie. Ti'n gallu ca'l invites i'r partis cŵl drwy blackmailo nhw 'da stori embarrassing o pan o'n nhw'n fach. Be dwi'n gweld sy'n gweithio'n dda yw draffto Instagram post embarrassing, dangos e i'r BeiblLad dan sylw, a bygwth posto fe. Tro 'ma, dewises i lun o fi a Llŷr pan o'n ni fel deg oed yng nghefen y car yn West Midland Safari Park gyda'r capsiwn, "Throwback i pan na'th annwyl stepbrawd fi bisho mewn botel achos o'dd e'n desbret am bi-pi yng nghanol y llewod, a pan na'th e sarnu'r botel drosto ni'n dau pan na'th y mwncis ddechre dringo dros y car. The joys." Safe to say dwi heb weld e'n jwmpo mor glou yn fy myw. Dwi'n siŵr gallen i 'di hyd yn oed ca'l VIP entry, tase'r fath beth i ga'l.

Mae e'n crappy shit crap bod Sam dal heb ateb fi. Ar ôl un deg un diwrnod! Mae'r Pump 'di bod yn rili strict, a dwi ddim i fod i decsto hi o gwbwl tan mae hi'n ateb fi. Dwi'n gwrando arnyn nhw am unwaith, achos I'm a changed gal.

Y silver lining drwy hyn i gyd? Mae Richard bant am yr wythnos 'da gwaith so ni'n gallu yfed be bynnag ni moyn a bod mor loud â ni moyn a gwisgo be bynnag y ffyc ni moyn. Dwi'n credu bydde fe'n fuming 'da Mam tase fe'n gwbod bod hi'n gadel i ni yfed ar nos Iau. Ond eniwei, diwrnod diwetha'r tymor yw hi fory a dim ond watsho films ni'n mynd i fod yn neud drwy'r dydd, so...

Dwi a Robyn yn neud Fruity Vodka Party Punch cyn i weddill y Pump ddod nes mlân. Dwi'n gofyn i Mam faint o fodca ddylen i roi a dwi'n dwblu hynna pan dyw hi ddim yn edrych. Wedyn mae Robyn yn rhoi sudd pinafal a sudd oren a ginger beer i mewn tra mod i'n torri oren a lemon ac yn troi'r cyfan 'da llwy bren. Mae Robyn yn llwyddo i arllwys yr hylif i mewn i'r ddwy jwg heb lot fawr o spillage, ond ni'n anghofio rhoi'r rhew i mewn a mae'r punch yn cyrradd reit lan at dop y jwgs, so dwi'n gorfod arllwys cwpaned yr un i fi a Robyn cyn rhoi'r rhew i mewn. Dwi'n rhoi'r jwgs yn y ffrij a ni'n mynd â'r cwpane a cwpwl o Kopparbergs lan 'da ni i stafell fi.

Mae'r Top UK Charts mlân ar volume isel wrth i'r ddau ohonon ni ga'l body showers a dod yn barod. Mae Robyn yn twrio drwy wardrob fi ac yn penderfynu gwisgo un o T-shirts baggy fi, a mae e'n clymu fe lan yn y ffrynt fel bod e bach yn cropped.

"Shit, Robs, ti'n edrych yn sizzlin. Ti'n gwbod bo' fi'n gwisgo'r T-shirt 'na fel pjs, nag wyt ti?"

"Ti'm yn gwisgo fo fel hyn though, na! Sgen ti fatha bracelet stretchy?"

Dwi'n pwynto at y jewellery stand lle mae rhai o'r beads o'n i'n arfer gwisgo pan o'n i fel deg oed yn hongian.

"Oh my God, dwi'n cofio chdi'n gwisgo'r rhain. Pan

o'ch chdi'n Herod, ha-ha!"

O'n i a Robyn yn ysgol berfformio'r sir gyda'n gilydd pan o'n ni'n Blwyddyn 6. Am ryw reswm o'n i wastad yn ca'l rhan y person drwg, a'r Nadolig 'na ges i ran Herod (thank god na'th Mam ddim prynu'r DVD). Mae Robyn wastad yn gweud bod e'n arfer bod yn terrified ohona i, sy bach yn harsh achos o'n i'n trio gwenu arno fe ym mhob ymarfer ond o'dd e'n cadw troi'i ben e. Ond eniwei, yn y diwedd, we hit it off big time ac o'n i over the moon pan ges i fy rhoi yn yr un dosbarth cofrestru ag e yn Ysgol Gyfun Llwyd.

"Robyn, plis, ti even yn gallu pullo off gwisgo beads Herod rownd bicep ti!"

Ni'n ca'l selfie Nadoligaidd a dwi'n rhoi e ar Insta Story fi – glitter filter and all – a mae Llŷr yn gweld e fel millisecond ar ôl i fi bostio fe, so mae Robyn yn dechre pisho chwerthin wrth feddwl amdano fe jyst yr ochr arall i'r wal.

Mae Robyn yn gweiddi, "Ty'd i joinio ni, babes!"

Dwi'n rhoi llaw dros ei geg e ond dwi ffaelu stopo chwerthin. Mae Robyn yn gweud bo' llaw fi'n smelo fel bara jam, so dwi'n chwerthin gymaint mae'n troi'n burps, wedyn dwi'n rhoi bysedd fi'n ceg e a mae e'n dechre sgrechen. Dwi'n credu bo' ni bach yn tipsy.

Ni'n mynd lawr stâr.

IIII

Mae Mam 'di neud spread amazing ar gyfer heno a mae popeth mewn cling film yn barod ar y ford. Brechdane bach caws a tomato, tiwna a ciwcymbyr a chicken mayo 'di ca'l eu torri'n betryale perffeth, Quorn cocktail sausages, carrot sticks wedi'u trefnu rownd powlen o hummus, cupcakes 'da butter icing a philipalas bach sbwnj 'da icing sugar ar y top, mix o dips a breadsticks mewn cwpan, ac ar stand yn y canol mae pentwr o Angel Slices a Fondant Fancies a llwyth o veggie vodka jellies. Mae popeth gyda'i gilydd yn edrych mor hudolus.

Mae Llŷr yn dod lawr stâr ac yn gweud helô wrthon ni'n betrus wrth hopan i'r cwtsh dan stâr i nôl New Balances e. Mae e'n smelo'n lysh – I'll give him that. Mae smell aftershave e'n neud i fi deimlo hyd yn oed yn fwy excited. Mae'n atgoffa fi o partis blwyddyn ni. Mae Mam yn gofyn iddo fe ydy e moyn bach o fwyd cyn mynd, ond mae e'n gweud mai'r plan yw ca'l takeaway pizza draw 'na, ond mae'n diolch ta beth, cyn gweud ta-ta wrthon ni.

"Fit," mae Robyn yn gweud yn clust fi wrth i Llŷr gerdded at y drws. Dwi'n nyjo fe, a mae Llŷr yn troi rownd. Ni'n dau jyst yn ishte 'na'n gwenu wrth watsho fe'n gadel.

Eiliad ar ôl i Llŷr slamo'r drws arnon ni, mae 'na gnoc.

Mae Robyn yn sleido ar hyd y llawr pren i'w ateb e.

"Weeei!"

Mae Aniq a Tim a Cat yn codi eu breichie nhw lan yr un pryd, a ni i gyd yn ca'l group hug mwya'r byd.

"Oh my God, mor lysh gweld chi. Ac mae lle yn y llety, wrth gwrs!"

"Mae'r tri gŵr doeth wedi dod ag anrhegion hael hefyd," mae Cat yn cyhoeddi mewn llais posh wrth iddi stryglan i dynnu un o handles y bag plastig oddi ar ei garddwrn hi.

"O ie?"

"Wine, Fizz a M–... Na, it's gone – dwi'm yn gallu meddwl am rwbath digon witty." Mae pawb yn chwerthin yn dawel. "Na, gin i rosé a cans o gin and tonic. Ma Mam yn licio nhw, so..."

Mae Mam yn dod i joino ni am bach tra mae hi'n aros i ga'l y pitsas mas o'r ffwrn. Dwi'n credu bod hi moyn neud yn siŵr bo' ni'n byta digon.

"So, pwy sy 'di neud vodka jelly shots o'r blân?"

Straight in there, Mam – I like it.

Mae Mam yn dangos i bawb shwt mae neud. Mae'n esbonio bod hi'n mynd â'i thafod rownd y shot glass i gyd i ryddhau'r jeli, a wedyn yn sugno. Bydde Mam yn neud athrawes lyfli.

"Y person cynta i lwyddo sy'n ca'l... saimod... dewis

rhywun arall i yfed. Iawn, barod? Un, dau, tri, go!"

Er, sai'n credu bydde Mr Roberts, y Prifathro, yn rhy hapus bod hi'n dysgu ni shwt mae mynd yn pissed.

Dwi, Robyn, Tim a Cat yn gafael mewn shot glass plastig ac yn pysgota'r jeli mas gyda'n tafode, tra mae Aniq yn dod draw at bob un ohonon ni fesul un i watsho pob symudiad. Dyw technique Mam ddim yn gweithio i bawb, so mae Robyn a Cat yn llwyddo i ga'l y jeli mas bit by bit, a mae Tim yn sugno'r shot glass yn sili a disgwl iddo fe jyst popo mas eventually. Sai even yn gwbod be dwi'n neud. Mae nhafod i'n teimlo'n bendy fel y rubber 'na o'dd gyda Cat yn pencil case fflwffi oren hi. Mae pawb yn sgrechen chwerthin.

Dwi'n edrych ar wynebe coch pawb a mae nghalon i'n byrsto â chariad. Ond sai'n gwbod pam dwi'n meddwl am Sam drwy hyn i gyd.

Tim sy'n llwyddo gynta a mae e'n dewis fi i yfed. Dwi'n credu bod e bach yn hot and bothered so dwi'n agor y ffenest tamed cyn bennu punch fi.

"Awww, ma hyn yn class. Diolch bawb am ddod a diolch i Tami a mam Tami am ga'l ni 'fyd." Mae Aniq bach yn emosh, bless.

"Speech, speech, speech!" Mae Tim yn torri ar draws Aniq ond mae Aniq yn gwrthod y cynnig ac yn cymryd sip o'i Coke yn lle hynny.

"Aniq, babes, ti heb weld ei hanner hi 'to!"

Dwi'n mynd draw at y goeden Nadolig a dwi'n nôl y parsel. Dwi 'di rhwygo hen *Daily Mail*s Richard fel papur lapio a 'di clymu'r cyfan 'da rhuban coch a stico cwpwl o bows bach glitter i neud iddo fe edrych yn Nadoligaidd, ond dim ond wrth gario fe at y ford dwi'n sylweddoli bod e'n edrych fel bag o chips blingy. Mae Mam yn gwbod be sy'n dod, a mae hi'n cyhoeddi bod hi am adel ni am nawr neu fydde hi'n ffaelu dreifo ni i'r parti.

Dwi'n gosod y parsel ar gôl Aniq.

"Pass the parcel..."

"Aaa, cŵl!"

"... With a twist," dwi'n cyhoeddi, ac yn joio'r ffaith bod neb yn gwbod be sy'n dod heblaw amdana i a Mam.

Dwi'n esbonio bod sawl haenen o bapur newydd yn y parsel, a rhwng pob haenen mae pishyn o bapur yn cynnwys naill ai Truth neu Dare. Mae'r gêm yn dechre'n weddol barchus a mae Tim yn gorfod neud impression o rywun yn y stafell. Mae e'n neud Cat, a mae e'n spot on chware teg. Mae e'n copïo'r ffordd mae hi'n symud ei dwylo wrth siarad a'r ffordd mae'i llais hi'n mynd yn uchel ar ddiwedd pob brawddeg. Mae pawb, gan gynnwys Cat, ffaelu stopo chwerthin so dwi'n cyhoeddi bod pawb heblaw Tim yn gorfod yfed dau fys.

Mae Robyn yn ca'l Truth a mae e'n gorfod ateb a oes gyda fe crysh ar unrhyw un ar y funud. Mae e'n gweud bod e, a ni'n gofyn pwy, ond dyw e ddim yn gweud so ni'n fforso fe i yfed. Go fi yw hi wedyn, a dwi'n ca'l Truth hefyd a dwi'n gorfod gweud a ydw i wedi ffansïo unrhyw un yn y stafell 'ma o'r blân. Dwi'n gweud bo' fi no way wedi, ond mae pawb yn gweud bod hwnna'n kind of anghywir achos bo' fi 'di gofyn i Tim fod yn boyfriend fi o'r blân.

"Don't get me started," mae Tim yn gweud wrth godi ei ddwylo a mae pawb yn sylweddoli'n syth bod e'n dal i fod yn bach o touchy subject, so i osgoi unrhyw awkwardness dwi'n downo'r gwydred o punch sydd gyda fi (strêt ar ôl i fi topo fe lan). Mae hwrês pawb yn llithro'n araf i mewn i nghlustie i fel dŵr pwll nofio.

Mae popeth yn teimlo'n fuzzy neis, fel bod y punch yn llifo'n gyson drwy nghorff i. Mae mreichie i'n teimlo'n ysgafn am unwaith, a sai'n teimlo unrhyw boen. Mae mhen i'n teimlo'n drwm pan dwi'n shiglo fe, bach fel Kinder Surprise, ond dwi'n lico fe achos mae'n teimlo'n wahanol i shwt dwi fel arfer yn teimlo. Mae fel tase'r pump ohonon ni'n arnofio mewn byd arall gyda'n gilydd, lle ni'n jwmpo o un Fondant Fancy i'r nesa, a lle sdim unrhyw ofid yn y byd 'da dim un ohonon ni, a dwi moyn i'r byd 'ma bara am byth.

Aniq sy'n ca'l y presant yn y canol wrth gwrs, ac ynddo fe mae bathodyn 'Birthday Girl' sy'n fflasho. Dwi'n gosod y bathodyn jyst uwchben bŵb chwith Aniq.

Dwi moyn tecsto Sam.

8

MAE SIRIOL YN byw ar y stad newydd o dai ar ochor arall y dre. Mae Mam yn dropo ni off ar waelod y dreif a ni'n mynd draw at y tŷ. Mae Tim yn pwsho fi achos dwi heb fennu can fi 'to. Dwi 'di benthyg faux fur coat ddu Mam a hyd yn oed wedyn mae 'da fi goosebumps, a mae'r gwynt yn extra oer yn ceg fi achos dwi'n cnoi chewing gum newydd sbon.

Mae'r miwsig o'r tu fas yn swnio fel tasen i'n gwrando i mewn i gragen, ac ar ôl cnoco am ddwy funud dda mae Siriol yn agor y drws o'r diwedd a'r miwsig yn llifo mas o'r tŷ.

Wrth i fi wthio fy hunan lan y ramp, mae Siriol yn rhoi cwtsh eitha mecanyddol i ni un wrth un, a mae hi'n plygu i lawr pan mae'n cyrradd fi. Dwi moyn gofyn iddi lle mae'i rhieni hi heno ond sai moyn iddi feddwl bo' fi'n fusneslyd.

"Dwi'n falch bod ti 'di gallu dod a mwynhau heno, Tami." Mae'r piti yn neud i fi chwerthin tu fewn. Mae hi'n rhoi cwtsh rili lletchwith i fi a mae hi bron â tripo dros yr olwynion ffrynt.

"A ti hefyd."

Shit. Mae hi'n actually byw fan hyn. Dwi'n dilyn hi i mewn i'r gegin.

Mae tŷ Siriol yn hiwj. Mae'r gegin a'r stafell fyta yn open-plan a mae sliding doors slic yn arwain at yr ardd. Mae'r stâr troellog yn hofran reit yng nghefen y stafell, y banister wedi'i neud o wydr, a mae'r holl beth yn kind of atgoffa fi o ysbryd. Mae darn anferthol o gelf ar y wal i'r chwith, sy'n llawn llinelle beige a gwyn a blobs llwyd. Sdim lot o clutter yn y stafell heblaw'r holl bobol a'r gwydre.

Dwi'n cadw nghot arno er bo' fi'n dwym, achos bod e'n comfy a bo' fi bach yn shei. Ni ffaelu siarad achos mae'r miwsig yn rhy uchel, so ni jyst yn helpu'n hunen i'r drincs ac yn sipan nhw wrth watsho criw o chwech yn chware beer pong ar y ford tu ôl i ni.

Mae Carys, Cerian a Siriol, a Garin, Dan a Liam yn dod mewn criw i nôl rhagor o ddrincs. Dwi'n teimlo'n fach o'u blaene nhw.

"Ble ma Llŷr?" dwi'n gofyn.

"A, paid gofyn. Ond mae o in the bad books 'de." Mae Dan yn chwerthin yn ddrwg wrth afael mewn dyrnaid o Doritos. Mae Siriol yn rhoi nudge i'w fraich e.

"A ble ma Rhydian?" dwi'n gofyn, ddim bo' fi'n fussed i weld e. Dwi jyst yn fusneslyd.

"Na'th o dorri ligament yn y gym pnawn 'ma so mae o'n bedbound."

A wedyn. WEDYN...

Mae Tim yn chwerthin.

"Be sy'n funny, twat?" Mae Dan yn troi, gan bod e ddim yn gwbod be arall i neud.

"Ffyc off ia, Dan." Mae Robyn yn rhoi'r evils mwya iddo fe.

Mae Dan yn steran ar Robyn am bach, a wedyn mae e'n edrych i lawr arna i.

"At least 'di o ddim mewn wheelchair."

Dwi'n teimlo gwres yn codi i moche i. Ffyc. Mae'n brifo pan ti'n clywed e'n dod mas o geg rhywun arall. Dim ond fi sy'n ca'l gweud pethe fel'na am fy hunan. Dwi'n troi rownd fel bo' neb yn gallu gweld wyneb fi.

Mae Robyn yn dechre sgwaru lan.

"Anghofia amdano fe, Robs." Dwi'n stopo fe rhag pwsho fe, a mae Siriol yn bygwth cico Dan mas os nag yw e'n cwlo lawr (achos bo' loads o ornaments rownd y lle probably, ddim achos be wedodd e).

Dwi'n gwthio nghadair i mewn cylch rownd y gegin. Am ryw reswm mae pawb yn edrych arna i, yn aros am ymateb. Dwi'n teimlo fel Herod 'to, fel tasen i'n mynd i neud monolog. Dwi'n teimlo'n rili bwerus.

"Be am i ni setlo hyn gyda gêm o beer pong?"

Dwi'n tynnu nghot. Mae Siriol yn llenwi chwe chwpan coch 'da lager a ni'n dechre arni. Mae Siriol yn ca'l yr un cynta mewn a mae hi'n dewis fi i yfed. Dwi'n anelu am y canol a dwi'n penderfynu peidio bownso'r bêl ar y ford yn gynta. Mae'r bêl yn bwrw top y cwpan. Shit. Wedyn mae Dan yn ca'l y nesa mewn a mae Tim yn yfed ac yn rhoi'i ddwylo dros ei glustie bob tro mae pawb yn sgrechen. Ond er bod e'n overwhelmed, mae e dal yn ca'l y bêl nesa i mewn a mae e'n gweud wrth Garin i yfed. It's all very tense a mae'r gymysgedd o newid drincs a watsho peli'n bownso'n ôl a mlân yn neud i fi deimlo bach yn doj, so dwi'n gofyn i Siriol ble mae'r toilet.

Dwi'n desbret am bishad ond dwi hefyd yn teimlo bach yn sic, so dwi'n codi'r bin bach wrth ochor y toilet ar côl fi. Dwi'n chillo 'na am bach achos sai moyn wynebu hanner cwpaned arall o lager jyst 'to. Dwi'n wyndran pam mae toilet paper nhw'n smelo fel deodorant, a wedyn dwi'n meddwl am Sam eto.

Dwi'n datgloi ffôn fi a mae'n agor ar chat WhatsApp fi a Sam yn automatic. Dwi'n teipo yn y chat.

Sdim 'da fi'r gyts i hala fe. Hyd yn oed os nag yw Sam yn bodoli, beth yw'r drwg mewn hala neges arall jyst i weld?

"Tams, 'dan ni'n colli, for fuck's sake!" mae Cat yn gweiddi o ochor arall y stafell. Mae hi definitely 'di ca'l cwpaned neu ddwy o lager ers i fi fynd.

Dwi'n gwthio fy hunan draw at Cat yn sassy i gyd, ac yn mynd â'r bêl o'i dwylo hi a dwi'n twlu hi'n syth i mewn i'r cwpan ar y dde. Dwi'n rhoi'r cwpan i Dan. Mae Dan yn gafael yn y bêl stici o dan y ford ac yn anelu am y cwpan ar y chwith. Mae'n bownso ddwywaith cyn cropian i mewn i'r cwpan ola.

Dwi'n downo'r lager mewn mater o eiliade ac yn codi bys canol lan ar Dan.

卌

Dwi 'di colli gweddill y Pump ers sai'n gwbod pryd, a rywffordd dwi 'di bennu lan rownd y soffas gyda Carys a Cerian a Siriol a Dan a Liam. Shwt yn y byd dwi 'di'u colli nhw? Ers pryd mae'r Pump 'di mynd? Maen nhw'n watsho fi'n byta Doritos mas o'r bowlen fel cath. Mae pawb yn gweld e'n hilarious a dwi'n joio'r sylw.

Mae ffôn fi'n sleido off y gadair olwyn, a mae'r sgrin yn goleuo wrth i fi godi fe o'r llawr.

☹ Y Pump ☺
_ROBXN
Wtf tams

Shit.

Mae'r halen yn y Doritos yn neud fi'n sychedig.

A mae'r punch yn blasu fel

dŵr trwchus.

Mae ceg pawb ar agor fel côr SATB

o mlân i.

A mae nghlustie i'n

sugno

chwerthin pawb i mewn nes bo' fi

ddim

yn clywed unrhyw

beth

arall.

Mae wynebe pawb yn

toddi fel

cwyr

o mlân i.

Mae llythrenne'n ffurfio a maen nhw'n nofio mas o ngheg i un wrth un, yn fybls bach a bybls mawr am yn ail, fel tasen i 'di byta bloc o sebon.

"Llŷr!"

Mae Llŷr a Ceinwen yn cerdded mas i'r gegin a dwi'n twlu dyrnaid o Doritos draw i'w gyfeiriad e. Mae e'n ignoro fi.

Fucker.

Dwi'n gwthio fy hunan draw a mae mreichie i'n sbageti bolognese.

Dwi'n gweld e'n twrio yn y drôrs. Dwi'n troi at y ford goffi a mae ceg lydan y bottle opener yn galw'n enw i. So dwi'n rhoi'r bottle opener ar côl fi ac yn gwthio fy hunan draw. Dwi'n rhoi'r bottle opener dros clust fi fel ffôn.

"Helôôô? Ie, ie, yn

    siarad...

        O reit. Dwi'n gweld. Wna i

            baso ti mlân nawr.

                Ta-*ta*."

"Be ffwc ti'n neud?" Mae e'n mynd ag e wrtha i ac yn rhyddhau caead y cwrw.

"Ydy Ceinwen

        'di

        dympo ti?"

Mae Ceinwen yn dod draw.

"Heia Tami!" Mae Ceinwen yn rwbo pen-glin fi. Mae Ceinwen yn gweud wrtha i bod Llŷr yn gweud bo' mam fi'n lyfli a dwi'n gweud "oMg YdY" a bydd rhaid iddi ddod draw rhywbryd.

Dwi definitely'n drunk.

Dwi'n gofyn lle mae rhieni Siriol dros y penwythnos a mae hi'n gweud bo' nhw yn y Maldives am wythnos. Dwi'n gweud lysh a bod y tŷ'n rili posh. Dwi wedyn yn datgan mod i'n mynd i chwilio am y Pump i weld ble maen nhw arni.

Dwi'n gwthio fy hunan rownd y gegin i ga'l sbec bach clou tu mewn i'r stafelloedd pella, ond 'na i gyd dwi'n gweld yw pobol yn danso ac yn necko so dwi'n troi rownd.

Dim y Pump. Dim un ohonyn nhw.

Bydden nhw fel arfer 'di dod i chwilio amdana i. Actually, fydden nhw ddim even 'di gadel fi yn y lle cynta. Mae e fel y teimlad weird 'na pan ti'n mynd i mewn i stafell am reswm penodol ond ddim yn cofio pam, unwaith ti 'di mynd drwy'r drws.

Dwi ddim cweit yn siŵr be i neud gyda fy hunan.

Mae'r pwll bach yng ngwaelod yr ardd yn denu fi, so dwi'n gwisgo nghot ac yn parco ar y bit concrit. Dwi'n codi fy hunan mas o'r gadair fel tase rhywun yn tynnu nghorff i mas o gors.

Dwi'n gafael yn y coed bach ar bwys y llwybr ac yn cerdded yn

ofalus,

ofalus,

fel ar tightrope,

at y wal ar bwys y pwll.

A dwi'n gollwng fy hunan fel bricsen ar ben y wal frics.

Mae hi'n freezing a mae nannedd i'n dechre clecian, ond mae'n hawdd anwybyddu'r oerfel achos mae sŵn y pwll yn soothing ar ôl dwy awr o thud thud thud a chwyno chwerthin. Dwi'n teimlo'n sic ond sai'n meddwl bo' fi actually'n mynd i hwdu.

Dwi'n clywed cwpwl o bobol yn siarad ac yn chwerthin wrth ddod i mewn i'r ardd gefen drwy'r gât ochr. Dwi'n nabod Garin ond sai'n nabod y lleill. Mae Garin yn gweld fi'n ishte ar ben fy hunan bach yn sipan punch wrth y pwll.

"I'll see you in there, bois," mae e'n gweud wrth y lleill wrth iddyn nhw fynd i mewn i'r tŷ drwy'r dryse sleido. Mae e'n cymryd sip o'i gan ac yn cerdded ata i gyda'i ben e i lawr. Mae e'n ishte. Dim ond y gwpaned o punch ar y wal sy'n ein gwahanu ni.

Dwi'n clywed y pysgod yn chwerthin mewn lleisie rili high-pitched yn y pwll.

"Shhh," dwi'n gweud wrthon nhw.

Mae Garin yn dawel.

"Ma pysgod miwn fyn'na, timod."

"Ia, a ma Jaws yn byw 'na."

Dwi'n tagu chwerthin a mae Garin yn edrych yn falch o'i hunan.

Mae saib gweddol hir so dwi'n ca'l sip o'r punch. Mae Garin yn closio ac yn cau'r bwlch rhyngddon ni. Mae e'n edrych ar y gadair olwyn ar ochr arall yr ardd.

"Sut 'nest ti… ddod draw fama?"

"Gesa."

"Cropian?"

"Na. The worm."

Mae e'n chwerthin ond yn stopo'n sydyn achos dyw e ddim yn siŵr a ydy e i fod i chwerthin.

"Pam ma ceg chdi'n oren?"

"Gormod o Doritos."

Saib.

"Ti'n class yn chwara beer pong, Tams."

"Ydy e'n wir bod ti'n meddwl bo' fi'n ffit?" Forward, Tams.

"Ymmm, pam ti'n deud hynny?"

"Saimo, gofyn i Rhydian."

"Classic Rhyds."

Wel, ma Rhyds yn goc! mae'r pysgod yn datgan, a dwi'n cytuno.

Mae e'n smelo'n neis, fel powdwr golchi dillad. Mae hyn yn neud i fi sylweddoli bod e'n berson go iawn, gyda'r un defode ac anghenion â fi. Dyw'r Slayers na'r BeiblLads ddim yn teimlo fel pobol go iawn rili, er bo' fi actually'n byw 'da Llŷr. Mae e'n berson gwahanol yn yr ysgol though.

Dwi heb weld wyneb Garin mor agos â hyn o'r blân. Mae brow game e'n gryf a weden i bod e 'di siafo heno achos dwi'n gweld cwt eitha amrwd dan ei drwyn e. Mae Adam's apple e'n hiwj.

Ond wedyn mae'i wyneb e'n dechre toddi fel cwyr.

Mae'i wallt brown e'n troi'n goch.

Mae earring lleuad yn ymddangos.

A mae'i lyged brown e'n troi'n wyrdd.

A Sam yw e nawr.

Dwi'n twtsh â'i gwddwg hi. Mae hi'n rhoi ei braich ar waist fi a dwi'n ca'l yr urge mwya i gusanu hi.

Mae ngwefus i'n twtsh â'i gwefus hi.

Mae'n teimlo'n dwym neis yn yr oerfel.

Mae'n swnio mor gymhleth ar wikiHow ond actually mae e'r peth rhwydda dwi 'di neud.

Dwi'n gallu blasu lager a

dwi

ffaelu

stopo.

Hwrê! Hwrê! Ma'r pysgod yn dathlu ac yn nofio mewn cylch.

Dwi'n agor llyged fi.

Mae'n teimlo fel tase Adam's apple Garin yn pynsho fi'n galed yn fy nhrwyn i.

Fe yw e. Garin. Dim Sam.

A mae'r punch yn dechre gwaedu mas o nghorff i'n slo bach.

Mae Garin yn ca'l ei ffôn e mas, a mae e'n pingan eiliad wedyn gyda neges wrth Rhydian. Mae Garin yn tuchan wrth iddo fe drio ca'l YouTube lan. Dwi'n gofyn be mae e'n neud a mae e'n gweud wrtha i am aros eiliad. Dwi'n edrych ar ffôn fi yr un pryd i weld a yw'r Pump 'di gweud unrhyw beth, a mae'n ffôn i'n agor ar WhatsApp unwaith 'to.

Dwi'n edrych lan ar Garin. Mae nodau dwfn piano yn dechre chware a mae Garin yn chwerthin.

"Waaa, Jaws?" Dwi'n chwerthin yn nyrfys.

Mae e'n cario mlân so dwi'n cymryd bo' ni'n gwrando ar y gân i gyd.

Dwi'n troi'n ôl at ffôn fi.

Mae'r gân yn codi stress levels fi.

Dwi'n edrych lan ar Garin.

Dwi'n edrych lawr ar y ffôn eto.

Dwi'n meddwl beth os, jyst beth os, mai'r un person yw Sam a Garin?

Dwi'n gwbod bod ei ffôn e ddim ar Silent Mode ar y funud, so dwi'n anfon y neges ac yn aros am yr ymateb ar ffôn Garin.

Dim byd. Dim ond sŵn cras y symbal yn nodi diwedd y gân.

"Fucking wild," mae Garin yn gweud.

Wrth i Garin godi i adel, mae dau sbwnj bach euraidd yn cwmpo o'i boced e.

"What the fuck, Garin?"

"Be?"

"Earplugs Tim yw rheina!"

"Banter."

"Ti'n… greulon. Ti'n *horrible*. Dere â nhw'n ôl."

Mae e'n gosod y ddau earplug yn dwylo fi a dwi'n eu rhoi nhw'n saff yn bag fi'n syth.

"Bitsh."

"Ffyc off."

Mae Garin yn mynd.

A mae'r ardd yn edrych yn dywyll, dywyll.

ANI!

TIM!

CAT!

ROBYN!

Ond dim ond ffrwtian y pwll dwi'n gallu clywed.

Dwi'n teimlo'n sic nawr 'to, a mae'n dod yn dod yn fwy ac yn fwy gorchfygol wrth i bob munud basio. Mae'r gât ochor yn gwichian a mae Llŷr yn cerdded tuag at y pwll. A dwi'n hwdu, jyst fel'na. Mae e'n ffono Mam i ddod i nôl ni.

"Ti 'di gweld y Pump?" dwi'n gofyn.

"Na'th Robyn ddeud wrtha fi bo' nhw'n mynd adra."

"Pryd, nawr?"

"Fatha dwy awr yn ôl."

"A gadel fi?"

"O'dd Tim 'di cynhyrfu."

Shit.

Shit.

Shit.

Yr earplugs.

Mae Llŷr yn gwthio fi i waelod y dreif. Mae e'n closio ata i i gadw'r ddau ohonon ni'n dwym, a dwi'n pwyso mhen ar ei ganol e. Dwi'n gwbod bod e 'di bod yn yfed achos he doesn't do teimlade fel arfer. I mean, mae cardboard cutout yn fwy affectionate nag e mewn bywyd go iawn.

"Be even *o'dd* heno?" dwi'n gofyn.

"O'dd o'n blydi bizarre."

"Pam o'dd e'n bizarre i ti?"

"Mbo." Mae Llŷr yn meddwl yn ofalus. "Dwi jyst yn teimlo fatha dwi methu neud mbyd yn iawn dyddia 'ma. Efo neb. Ceinwen. Dad. Yr 'ogia. Fy hun."

Ac yn sydyn dwi'n teimlo fel chwaer fawr iddo fe.

"Dwi 'ma i siarad unrhyw bryd though, Llŷr. Onest nawr. A Mam. Ma Mam yn lyfo ti, a ti wastad yn neud popeth yn iawn yn ei llyged hi." Mae hyn yn ticlo Llŷr. Ni'n ishte ac yn gwrando ar y tawelwch am bach. "Os ma'n neud i ti deimlo'n well, sai'n gwbod ble dwi'n mynd mewn bywyd chwaith. Ond ydy hwnna'n beth gwael though, rili? Galle fe fod yn rhywbeth exciting, timod."

"Ond ti'm yn teimlo fel smalio bod yn rhywun ti ddim weithia?"

"As in, fel creu fake Twitter account neu rywbeth?"

"Naaa, ddim fel'na."

"Ond fyddet ti ddim yn neud hynna, na? Fydde neb yn neud hynna rili, na?"

"Fyswn i ddim, 'de, ond ma pobol yn neud. Pam?"

Dwi'n edrych i fyw ei lyged e.

"Ife ti yw Sam?"

Sai'n credu bod e cweit yn gwbod shwt i ymateb.

"Llŷr dwi, Tams. Ti'n pissed. Rhaid ni fynd adra 'ŵan."

Mae Mam yn fflasho'i gole arnon ni, a ni'n ymlwybro at y car. Mae Llŷr yn cysgu ar ysgwydd fi yr holl ffordd gytre.

Dwi'n gobeithio bydd pethe'n aros fel hyn ar ôl heno, ond dwi'n gwbod fyddan nhw ddim.

9

PAM MAE FFILMS Nadolig mor annoying pan ti'n hungover?

Rywffordd dwi 'di neud hi i'r ysgol bore 'ma, ond dwi'n meddwl bo' fi'n marw tu mewn. Mae blas weird yn ceg fi a mae mola i'n neud loads o sŵn er bo' fi ddim moyn bwyd o gwbwl ar y funud. Mae e fel tase Romeo yn taflu cerrig lan at Juliet i mewn 'na a mae'n neud fi isie hwdu. Eto.

Mae Mr Owens Saesneg 'di rhoi *Arthur Christmas* arno yn dwbl Ffrangeg achos dyw Madame John ddim i mewn a dyw hi heb adel gwaith i ni. Mae e hefyd 'di rhoi darn o dinsel yr un i bawb wisgo rownd eu gyddfe nhw, sy'n brofiad weird pan ti'n teimlo fel shit (o'dd e'n impressed ac yn chucklan pan wedes i wrtho fe bo' fi'n walking oxymoron). Dwi heb weld Madame John o gwbwl wythnos 'ma. Hi yw un o'r unig athrawon dwi actually'n gallu tolerato, ac o'n i moyn ca'l chat bach arferol ni cyn i ni dorri lan am y Nadolig.

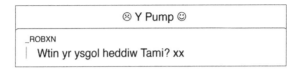

☹ Y Pump ☺

_ROBXN
| Wtin yr ysgol heddiw Tami? xx

Dwi heb weld y Pump ers neithwr. Wel, dwi 'di gweld nhw ond dyw nhw ddim 'di gweld fi. Dwi 'di bod yn hango mas yn stafell soundproof y dosbarth Cerdd yn ystod amser egwyl. Fydden nhw byth yn meddwl dod i chwilio amdana i fan'na.

'Nes i weld nhw'n paso'r ffenest wrth i fi fyta tost ar sêt y drum kit. O'dd Robyn ac Aniq yn cerdded yn y ffrynt – mae'n amlwg bod Robyn newydd weud rhywbeth rili funny achos na'th Aniq bwnio'i fraich e a chwerthin, fel mae hi'n neud pan mae Robyn yn gweud rhywbeth drwg. Falle bod e'n gweud wrthi faint o dick o'n i neithwr. Wedyn o'dd Cat a Tim yn dilyn yn y cefen. Tim yn symud ei ddwylo fe ac yn amlwg yn esbonio rhywbeth mewn manylder, a Cat yn edrych lan arno fe ac yn nodio mewn edmygedd. O'dd y pedwar ohonyn nhw'n edrych mor fodlon. O'n i ffaelu helpu meddwl bod pedwar yn neud mwy o sens na pump.

Dwi'n edrych ar y neges na'th Robyn hala neithwr.

☹ Y Pump ☺

_ROBXN
| Wtf tams

Tams yn ffrind shit. Haws cadw'n dawel yn lle boddran nhw'n fwy.

HH

Mae'r gloch yn canu, ac wrth adel y dosbarth, dwi'n gofyn i Mr Owens ydy Madame John yn OK. Mae e'n esbonio bod merch ei chwaer hi 'di bod yn yr ysbyty ers cwpwl o wythnose gydag anafiadau difrifol, a'i bod hi 'di ca'l llawdriniaeth fawr ddechre'r wthnos a bo' Madame John yn yr ysbyty yn gefn i'w nith a'i chwaer.

Dwi ddim yn lico holi gormod ond dwi'n hêto meddwl am beth mae Madame John yn mynd drwyddo ar hyn o bryd. Ti byth rili'n meddwl bod bywyde go iawn 'da athrawon.

Wrth i fi gau drws y dosbarth am y flwyddyn, mae e'n gweud dan ei anadl, "Diawl o betha peryglus ydy tractors."

A mae'r geiriau 'nes i'u darllen dro ar ôl tro ar Twitter yn troi yn fy mhen – *farmer & knitter*. Mae mola i'n cwmpo, a dwi'n ca'l y teimlad awful, awful 'ma am Sam. Dwi'n crynu. Dwi'n gwthio fy hunan mas o'r adeilad ac yn sneako rownd cefn yr ysgol drwy'r coed at y bus stop. Mae deg munud tan y bỳs nesa i'r dre.

Dwi'n agor chat WhatsApp fi a Sam yn syth. Dwi'n

teimlo'n wan wrth ddarllen "Ateb fi plis" eto, a'r ymbil diniwed yn troi'n rhywbeth lot mwy iasol yn sydyn.

Dwi'n dechre ffono a ffono a ffono nes mod i'n ca'l ateb. Dwi'n gwrthod derbyn bod hi'n gorwedd ar wely dieithr ysbyty, a bo' fi ochr arall y sgrin yn dinsel i gyd. Dwi'n trio unwaith 'to, ac unwaith 'to rhag ofn.

Ar ôl trio fel wyth gwaith, mae grwndi'r ffôn yn dod i stop yn sydyn, a dwi'n clywed anadlu petrus ar ochr arall y llinell.

"Sam?... Helô?... *Sam?*"

Deg eiliad o ddim byd. Wedyn dau bîp sy'n gweiddi "Ffyc off am byth". Dyw hi ddim moyn fi.

𝍦

Mae'r bỳs yn gollwng fi wrth B&M a dwi'n gwthio fy hunan lawr stryd y Shecws yn automatic. Mae'r goleuade pinc LED yn hudo fi i mewn. Dwi'n ordro takeaway hot chocolate gwyn, a gingerbread elf fel pwdin. Mae'r boi newydd yn gofyn ydw i'n OK. I bet bo' llyged fi'n rili goch. Dwi'n gweud bo' fi'n iawn, diolch, a dwi'n rhoi £4.67 iddo fe cyn gosod y tray ar côl fi. Dwi'n dechre fy ffordd draw i'r bus shelter.

Dwi'n credu mai dyma'r tro cynta i fi chillo yn y bus

shelter ar ben fy hunan bach heb weddill y Pump. Dwi'n rhoi ceg fi ar dop y cwpan ac yn chwythu, fel bod y stêm yn twymo nhrwyn i, a dwi'n watsho'r tonnau'n torri ar y lan, fel tase fe'n poeri mouthwash mas. Mae'r awyr yn glir ac yn lasach na'r môr. Mae hi'r math o ddiwrnod deceiving lle byddech chi'n meddwl bod hi fel 20° tasech chi tu mewn yn edrych mas drwy'r ffenest, ond actually mae hi mor oer mae nghlustie i'n llosgi.

Mae angen hat arna i.

Dwi'n hala neges at Garin yn gofyn iddo fe gwrdd â fi yn y Shecws i ga'l earplugs Tim 'nôl.

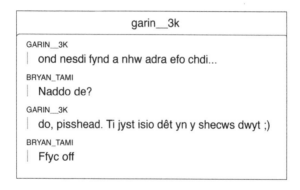

Dwi'n mynd drwy mag i a dwi'n ffeindio'r ddau beth bach euraidd sgwishi mae Tim yn dibynnu arnyn nhw yn fy mhwrs i. Na'th drunk me drio'i gore chware teg.

Dwi'n ca'l urge sydyn a weird i arogli nhw – rhywbeth

fyddet ti dim ond yn neud ar ben dy hunan. Sai'n gwbod pam, ond falle achos bo' fi'n gwbod bo' nhw'n bethe mor bersonol i Tim, a fydden i siŵr o fod ddim yn ca'l y cyfle i afael ynddyn nhw 'to. Dwi moyn trio nhw ond dwi ddim, achos rhai Tim y'n nhw. Dwi'n meddwl bo' fi'n gallu arogli Tim arnyn nhw, ond falle mai jyst fi yw e. Dwi'n gwasgu'r earplugs yn dynn yn dwylo fi, fel ffordd o roi sicrwydd i Tim o bell na fydde hyn byth yn digwydd 'to.

Dwi'n rhwygo pishyn papur mas o notebook fi ac yn dechre neud amlen origami fel na'th Cat ddysgu i fi. Hwn yw'r unig origami dwi'n cofio achos mae e actually'n handi. Dwi'n gosod yr earplugs ynddo fe ac yn sgwennu 'Caru ti (fel ffrind) x' arno fe.

Dwi'n rhoi'r cwpan ar y fainc ac yn cymryd ansh mawr o'r gingerbread elf, a mae'r pigeon un goes mae Robyn yn obsessed ag e'n hopian draw mas o unman. Ni'n steran ar ein gilydd am sbel, a dwi'n teimlo fel bo' ni'n deall ein gilydd. Dwi'n torri llaw'r elf off a dwi'n gollwng e'n slei reit ar bwys fi fel nad yw'r pigeons erill yn gweld. Mae e'n hopian yn agosach ata i. Sgwn i be ddigwyddodd i'r peth bach?

☹ Y Pump ☺
ANIQMSD
Bob dim yn OK Tams? xxx

Dyw ishte yn y bus shelter ar ben dy hunan ddim mor braf ag ishte 'ma gyda mates ti. Dwi'n credu bod yr haul yn gwenu hyd yn oed yn fwy ar y bus shelter pan mae e'n gweld y Pump 'ma gyda'i gilydd.

Dwi'n troi'r cwpan, a dwi'n aros i ffroth yr hot chocolate lifo i lawr corn gwddwg fi, cyn ffono Mam i ddod i bigo fi lan i bosto earplugs Tim off drwy ddrws ei dŷ e.

Dwi'n meddwl bod brêc bach dros y Nadolig yn mynd i neud lles.

Dwi mor ffycin unig.

10

DWI'N DEFFRO AM bump y bore ar ddydd Nadolig. Ddim achos mod i'n excited, ond achos bo' fi 'di cysgu'n od ar braich chwith fi a dwi ffaelu mynd 'nôl i gysgu. Nice one, Tams. Dyw hi ddim yn teimlo fel diwrnod Nadolig o gwbwl eniwei.

Pam dwi'n breuddwydio bo' Sam 'di dod i weld fi, jyst pan dwi'n dechre anghofio amdani? O'dd e mor hapus, o'dd e'n drist. Na'th hi gwrdd â Mam, ac aethon ni i ga'l chips ar y prom, wedyn gerddon ni draw i ryw gae sy ddim actually'n bodoli a dyna pryd ddechreuodd e fynd yn weird, achos o'n ni'n dwy'n cneifio ac o'dd y gwlân yn troi'n nŵdls ac o'dd y defaid yn chwerthin achos bod e'n ticlo gymaint.

Mae'n rili annoying bo' braich fi 'di deffro fi.

Mae'n frustrating achos ambell waith, pan dwi yng nghanol breuddwyd, dwi'n gallu rheoli be sy'n mynd i ddigwydd nesa. Fel, ges i freuddwyd unwaith bo' fi'n ca'l gwers ganu ar lwyfan Ysgol Gyfun Llwyd o flân pawb. A bob tro o'n i'n trial canu, o'dd pawb yn dechre chwerthin. O'dd e'n rili embarrassing. Ond wedyn na'th rhywbeth glico yng nghanol y freuddwyd, a dwi'n cofio gweud wrth fy hunan, 'Ma'n OK, dim ond breuddwyd yw e', a garies i mlân i drial cyrradd nodau o'n i heb gyrradd erioed o'r blân, fel Adele, jyst i drial impresso pawb a gweld shwt o'dd e'n teimlo, a bydde neb arall byth yn gwbod amdano fe.

Ond do'n i ddim yn gallu rheoli'r freuddwyd 'ma. A dwi ffaelu stopo meddwl amdano fe.

Dwi'n mynd i nôl dressing gown fi o gefn y drws. Unwaith dwi 'di sychu'r cwsg oddi ar llyged fi a neud yn siŵr mod i'n hollol effro, dwi'n fflingo'r laptop ar agor ac yn iwso'r stalking skills na'th Cat ac Aniq ddysgu i fi.

Dwi bron â marw isie hala neges atyn nhw'n gweud bod Ditectif Tams wrth ei gwaith. 'Nes i ffindio proffil Madame John ar Facebook dwrnod o'r blân hefyd, achos o'n i'n gwbod enw canol hi. Wps. A 'nes i ffindio mas bod ei nith hi (nope, dim Sam, ond Elliw George. Mor creepy bo' fi'n gwbod hynna, ha) mas o'r ysbyty nawr, sy'n gymaint o ryddhad.

Bydde Aniq a Cat definitely'n meddwl bo' fi off fy mhen tasen nhw'n gwbo' bo' fi lan am 5am ar ddwrnod blydi Nadolig yn neud hyn. Ond dwi ddim yn mynd i hala neges, achos mae agor y Group Chat yn neud i fi gofio am y parti. A dwi'n hêto fy hunan pan dwi'n cofio am y parti.

Dwi'n mynd ar profile Sam ac yn sgrolo drwy Likes a Media hi, cyn mynd drwy bob tweet yn unigol i weld pwy yw'r Likers mwya amlwg. Dwi'n dechre sgwennu'r enwe i gyd mewn dogfen Word.

Mae rhyw *lolalols* 'di Likeo 14 mas o'r 20 tweet dwi'n mynd drwyddo. Dwi'n clico ar ei profile hi a gweld mai Lola Spencer yw ei henw llawn hi. Llun o ryw fath o fachlud yw ei profile pic hi, ond dwi ddim yn gallu ca'l lot mas o Twitter, so dwi'n mynd yn syth ar ffôn fi ac yn troi at Instagram.

Er bo' ddim mutual friends 'da ni, dwi'n gwbod mai'r Lola iawn yw hi achos yr un profile pic sy 'da hi. A dyw hi ddim yn private chwaith.

Dwi'n teimlo'n lot mwy effro erbyn hyn. Dwi'n clico ar y llun diweddara.

Mae nghalon i'n pwmpo gymaint mae'n teimlo fel tasen i'n cwtsho speaker mewn gìg.

A fan'na dwi'n gweld. Merch rili cŵl 'da gwallt pinc mewn beanie hat biws.

Dwi'n edrych ar y capsiwn.

♫ *Looks like Christmas came early,*
Christmas came early for me ♫

Mae wyneb Lola'n codi o'r sgrin, a mae hi'n gafael yn ymennydd fi ac yn ei ddatod e fel pelen o wlân.

Mae nwylo i'n crynu. Dwi'n ca'l job gafael yn y ffôn.

Dwi'n edrych ar y comments.

My girl ♥

Mae profile Sam yn private. Ond dwi ddim moyn gweld mwy. Dwi'n taflu'r ffôn ar y peil o ddillad yng nghornel y stafell wrth i mhen i drio neud sens o bopeth.

Dwi 'di bod fan hyn, yn tynnu llunie o ddarne o nghorff i sneb arall yn ca'l gweld, i drio ca'l sylw Sam, tra ma Sam 'di bod yn rhywle yn breuddwydio am dwtsh â croen rhywun arall ar hyd yr amser.

Mae ffôn fi'n vibrato loads, ond dwi'n gadel e i fod.

☹ Y Pump ☺

TIMMORG
Nadolig Llawen pawb!

TIMMORG
Yes, fi o'dd y cynta i weud e

TIMMORG
Ydy hynna'n meddwl bo fi'n ffrind amazing i chi?

TIMMORG
Excited i weld chi ar New Year's Eve. Ydy pawb dal moyn noson chilled yn tŷ fi? Ma Mam yn gofyn ydy pawb yn hoffi lasagne? Bydd veggie ar gael. Edrych mlaen i weld chi xx

---

Mae popeth yn neud dolur.

Dyw e ddim yn boen arwynebol, ond yn boen sy'n dod reit, reit o'r tu fewn. Poen gwacter, bron nag yw e'n teimlo fel poen o gwbwl. Fel cwdyn Capri-Sun pan mae rhywun yn llowcio pob daioni mas ohono fe, ac yna'n llenwi fe'n ôl gydag aer a'i adel e'n wag.

11

MAE NOS GALAN mor randym. Mae e'n ticlo fi bo' rhywun 'di penderfynu un diwrnod, 'Ie, ma torri bywyd lan yn chunks deuddeg mis yn neud loads o sens'.

A be sy hyd yn oed yn fwy random yw bod deuddeg mis yr un peth â:

       365 diwrnod

       52 wythnos

       8,766 awr

       525,600 munud

       31,536,000 eiliad

Mae'n teimlo'n fwy a mwy pointless y mwya ti'n torri fe lawr.

Ond actually dwi'n meddwl bo' pobol yn lico rwtîn. Mae e'n rhoi cysur. Ac yn gyfle i edrych 'nôl a gweld faint ni 'di newid yn y chunk 'na o amser, fel rhywbeth i drial confinso ni bod actual pwrpas i fywyd.

So, i ddathlu 31,536,000 eiliad arall o fywyd, dwi'n

penderfynu ar sensuous red lip i gyd-fynd â'r set pyjamas tartan coch ga'th Mam i fi Nadolig. Dwi'n trio'r technique lle dwi'n mynd dros gwefus top fi tamed bach, fel bod e'n edrych yn fwy juicy, a mae e'n troi mas yn eitha da yn y diwedd. Dwi a Mam 'di penderfynu ar glam night in heno i neud y mwya o'r heddwch, tra mae Llŷr a Richard mas yn y clwb rygbi am y noson.

Mae Mam 'di gweud bydde ishte ar y soffa'n hel meddylie heno yn neud pethe'n waeth. Chware teg i Mam, mae hi 'di bod yn neud extra ymdrech i distracto fi dros y dyddie diwetha. A dwi'n credu bod hi'n neud job oreit achos dim ond fel pedair gwaith dwi 'di llefen rhwng ddoe a heddi.

Dwi'n penderfynu gwisgo fake eyelashes heno, which dwi byth yn neud achos maen nhw'n massive ffaff ond dwi'n gwbod mai dyna shwt bydde Cat yn dathlu Nos Galan, so dwi'n penderfynu bo' raid i fi. Cat ddysgodd fi bo' raid i fi aros fel dau ddeg eiliad tan bod y glud yn sychu tamed cyn rhoi'r eyelash arno. Mae hi'n gwbod popeth am makeup.

Mae'n hawdd anghofio weithie pa mor sâl yw Cat.

Na'th Tim greu Group Chat newydd echddoe. Ar WhatsApp, sy'n rili weird achos sai'n meddwl bo' fi 'di actually siarad â'r Pump ar WhatsApp o'r blân. Ond ie, erbyn y pwynt yna, o'n i heb weld nhw na hyd yn oed siarad â nhw ers y parti a dwi'n gwbod mai bai fi o'dd e achos o'n i 'di bod yn ignoro pob Snapchat wrthon nhw (even though o'n i'n bwriadu mynd i'r parti NYE all along. Dwi'n actual dick). Ond y mwya o amser o'dd yn paso y mwya o'n i'n teimlo bydde trial gweud sori dros tecst jyst yn dod drosto fel shit ymddiheuriad. O'dd rhaid i fi neud e face-to-face.

Ond eniwei, pan weles i bod e 'di creu Group Chat ar WhatsApp o'n i'n meddwl aaa, grêt, mae rhaid bo' nhw 'di ailfeddwl a 'di penderfynu cico fi mas o'r Pump am byth a bod angen rhywle niwtral fel WhatsApp i actually torri'r newyddion i fi.

Dechreuodd Tim deipo.

O shit.

Ac o'dd e'n teipo am ages. Ac es i'n rili tense a dechreuodd dwylo fi fynd yn stici.

'Nes i benderfynu distracto fy hunan drwy edrych ar y rhestr o bawb o'dd e 'di adio i'r chat, jyst rhag ofn mai un o'r spam links "OMG IS THIS YOU IN THE VIDEO?!" o'dd e, a bod e 'di adio fel holl ffrindie Facebook e. Ond wedyn sgimes i drwy'r contacts ac o'dd pob un yn neud sens.

Aniq.

Robyn.

Tami.

Tim.

Ond o'dd pedwar ddim yn neud sens. Pam o'dd dim pump?

Pam o'dd e'n creu chat heb Cat?

Sdim y fath beth â chat heb Cat.

> Prynhawn da bawb. Dwi ddim rili'n gwbod shwt i esbonio hyn. Basically ma Cat wedi gofyn i fi weud wrtho chi bod hi wedi gorfod mynd nôl i'r ysbyty bore ma. Ma Cat yn gweud bo nhw ddim yn gwbod lot to ond neith hi gadw chi'n updated. A ma hi'n sori bo hi ffili bod na ar New Year's Eve a ma hi'n caru chi lot.
>
> Caru chi (fel ffrind),
> Tim x

No way o'n ni'n mynd i neud rhywbeth i New Year's Eve heb Cat.

Mae Mam yn jwmpo off y soffa ac yn mynd i nôl darne bach o bapur, tongs tân a dŵr.

"Mam, be ffyc?"

"Be? Ni heb neud hyn o'r blân?"

"Be?"

"Oh my goodness, ni HEB!"

"Be ni'n neud?"

"Actually yeah, must be the first time since your father."

"God, ma Dad yn swnio fel charming bloke. Fel Richard."

"Tami Bryan."

"Jôc, jôc."

"So, gather your thoughts. Ni'n mynd i ryddhau pob math o negative energy mas o'n cyrff ni, OK?"

"OK…"

"Dwi moyn i ti feddwl am y straeon ti'n cario ma angen i ti adel iddyn nhw fynd cyn i'r flwyddyn newydd ddod."

"Fel gwersi dwi 'di dysgu kind of thing?"

"Ie, gall fod."

"Hm. I like the way it's going. Iawn."

"Iawn, papur i ti, papur i fi. Cer lan stâr i rywle tawel os yw e'n helpu i ga'l yr emosiwns mas. Achos ni'n mynd i losgi nhw wedyn ond paid becs, 'na i ddim darllen rhai ti a chei di ddim darllen rhai fi. Deal?"

"Deal." Dwi'n fflico drwy'r pishys papur fel tasen i'n shyfflo pac o gardie. "Er, ddim y ffordd fwya eco-friendly o ga'l gwared ar negativity, sy'n defeato'r point bron â bod, na?"

"Ie, ond ma hynna'n golygu bod ti jyst yn mynd i fod yn berson gwaeth heno, so ti'n guaranteed o fod yn berson gwell yn y flwyddyn newydd."

"Hm, sai'n siŵr ydy e'n gweitho fel'na ond OK."

Dwi'n mynd lan i stafell fi, lle mae'r holl atgofion a'r straeon dwi'n cario gyda fi. Hyd yn oed yr atgofion dwi ddim even yn cofio, sy'n mind-blowing pan ti'n dechre meddwl amdano fe. How weird yw e mai'r stafell 'ma yw cwtsh bach fi yn y byd? Mae popeth yn y stafell 'ma yn rhyw fath o souvenir o mywyd i. Fel, tasen i'n marw fory, bydde pawb yn gallu dod 'ma i chillo, a bydden nhw'n gadel y stafell yn teimlo fel tasen nhw newydd roi'r byd yn ei le 'da fi.

Dwi'n cau llyged, a mae'r camera yn pen fi'n zoomo mas o'r stafell. Dwi'n lico meddwl mai'r pigeon un goes 'na ar y prom yw e, yn dala'r camera gyda bysedd ei droed e (neu claws, be bynnag sy gyda nhw). Dwi'n gweld fy hunan yn sefyll yng nghanol y stafell, fel tase rhywun yn chware Sims a 'di anghofio amdana i. Wedyn mae'r camera ar y tŷ, lle dwi'n gweld Mam yn wafo yn y ffenest cyn cau'r llenni, a wedyn mae e'n zoomo mas ar y dre, a dwi'n gweld goleuade'r Shecws yn glir. Dwi'n gweld y môr. Dwi ddim yn gweld Ysgol Gyfun Llwyd achos mae e'n rhy llwyd, a mae'r camera'n zoomo mas gymaint nes bo' fi'n ddot bach teeny tiny mewn cylch glas a gwyrdd. Dwi'n ishte wrth y ddesg.

Dwi'n gosod y sgwariau bach o bapur fel un sgwâr mawr o mlân i. Dwi'n watsho fy hunan yn neud hyn yn y drych a mae rhywbeth rili therapeutic amdano fe. Dwi'n mynd yn agosach. Dwi'n mwytho'r gwythienne bach sy'n cwmpo fel mellt a tharanau o dan llyged fi. Dwi'n credu bydde pobol yn meddwl bo' fi'n edrych yn wahanol heb makeup. Mae winged eyeliner yn cuddio lot.

Dwi'n fflwffo ffrinj fi lan a rhoi albym The 1975 mlân a dwi'n dewis un o'r caneuon bach munud a hanner 'na sy'n ymddangos rhwng y caneuon mwy amlwg. Dwi'n teimlo fel tasen i mewn music video.

Mae gwrando ar yr albym yn neud i fi feddwl am Cat. Pan o'n i'n mynd draw i aros yn tŷ hi a watsho music videos tan orie mân y bore. Pan mai'r unig bryder o'dd gyda Cat o'dd p'un a o'dd hi'n mynd i allu ca'l getaway â phrynu cwpaned o Pic 'n' Mix gyda'r caead hanner ar agor, ar ôl llwyddo i dim ond jyst stwffo'r neidr ar y top.

Cat'x
BRYAN_TAMI   Caru ti ir lleuad a nôl Cats xxxxx

Dwi'n ca'l flashbacks o'r parti a dwi'n crinjan, crinjan, crinjan. Crinjan bo' fi 'di talu mwy o sylw i Garin nag i unrhyw un arall. Crinjan bo' fi 'di dathlu hango mas 'da'r Slayers a'r BeiblLads yn lle dathlu'r ffaith bod Aniq 'di magu digon o hyder i ddod mas i ddathlu ei phen-blwydd hi ar ôl popeth ma hi 'di bod drwyddo. Yn lle dathlu'r Pump a phopeth amdanon ni.

Ac yn sydyn mae rhywbeth yn dod drosta i. Dwi'n rhoi pen ar bapur a dwi ffaelu stopo sgwennu.

Paid cymryd pobol sy agosa ato ti'n ganiataol!

Os ydy leni 'di dysgu unrhyw beth i ti, ma fe 'di dysgu bod bywyd yn fyr. Gwed wrth bawb bod ti'n caru nhw <u>bob dydd.</u>

Ma rhaid ti <u>drial</u> neud ymdrech 'da Llŷr (even Richard falle *). / Mam. The less you respond to negativity, the more peaceful your life becomes (*who knows – falle bydd e'n intersectional feminist erbyn amser hyn bl. nesa).

Paid bod mor harsh ar dy hunan. Cara dy hunan fel ti'n caru mam ti a'r Pump.

Paid <u>byth</u> ghosto neb, sdim ots shwt ti'n teimlo amdanon nhw. Bydd yn onest achos it hurts like hell.

Bydd yn ti dy hunan, <u>wastad.</u> Ti'n mynd i ga'l stwff yn rong, a ma 'na'n fine. Nobody's perfect and life is but a learning process.

Paid mynd gyda dickheads fel Garin!!!

Wrth i fi glymu bobble rownd y pishys papur i'w cadw nhw'n saff, dwi'n meddwl pa mor funny yw e bod yr holl stwff dwi 'di dysgu leni'n ddim byd i neud ag Ysgol Gyfun Shit, even though mai holl bwrpas ysgol yw dysgu stwff.

Dwi'n meddwl am Cat.

Dwi'n meddwl am Sam.

Dwi'n mynd 'nôl at profile Lola a dwi'n tapo'r galon ar ochr chwith y sgrin. Dwi'n meddwl am y beanie hat biws a dwi'n gwenu, achos dwi'n gobeithio bydda i a nghlustie bach oer i yng nghefen meddwl Sam bob tro bydd hi'n gweld e.

Dwi'n mynd lawr stâr.

Mae Mam yn ishte ar y soffa yn troelli'r gwin coch yn ei gwydr hi. Mae hi 'di rhoi spread caws a biscuits amazing mas i ni am y noson. Dyw hi ddim yn clywed fi'n dod i mewn a dwi'n credu bod hi'n llefen.

"Ti'n OK?"

"Aw, Tams. Ydw, dwi'n fine. Ti'n nabod fi – sili!"

"Na, dim sili o gwbwl! Be sy'n bod?"

"Jyst 'di bod yn meddwl 'nôl wrth sgwennu'r cardie 'ma. Dwi mor lwcus, ti'n gwbod. Ma gweld ti'n prifio bob dydd yn neud fi mor prowd."

"Ha-ha, rili? So ti moyn gweld be sy ar y pishys papur 'ma 'de."

"A sai'n mynd i weld nhw chwaith, ydw i? That's the whole point. So angel fyddi di yn fy llyged i wastad." Mae hi'n sychu ei thrwyn. "Unrhyw news am Cat?"

"Dwi heb glywed dim wrth Cat ond ma Tim 'di bod yn cadw ni'n updated. Ni fod ca'l FaceTime am 12, so bydd hynna'n neis..." Dwi'n gollwng fy hunan ar y soffa. "Dwi'n credu bod hi'n OK ond wedyn ma Cat wastad yn gweud bod hi'n OK even pan dyw hi obviously ddim..."

Mae Mam yn rhoi ei braich hi rownd fi a dwi'n cwtsho fy hunan i mewn i'w bŵbs hi wrth iddi gusanu ngwallt i, a ni'n dwy'n hala'r munude nesa jyst yn steran ar y tân.

"Reit, barod?"

"Barod."

Dwi'n watsho'r geiriau'n toddi i mewn i wres y tân, a chraclo'r coed yn cefnogi pob un tafliad. Ar ôl hynny, dwi a Mam yn ishte mewn tawelwch ar y soffa yn pigo ar gaws a biscuits a chutney.

"Hang on, aros fan'na, ma gyda fi rywbeth bach i ti."

Mae Mam yn mynd mas i'r coridor ac yn tynnu presant bach mas o ddrôr y seld, wedi'i lapio'n neis mewn papur brown a rhuban coch.

"Ges i ddim cyfle i roi hwn i ti dwrnod o'r blân."

Dwi'n datod y rhuban, er mor ofalus mae Mam 'di clymu fe, a dwi'n dadlapio un ochr o'r presant yn deidi cyn sleido'r presant mas o'r ochr.

"Beret, oh my gosh! Velvet turquoise. Edgy, Mam."

"Dwi 'di cadw'r receipt so os ti moyn newid y lliw cer amdani."

"Na, I like it. Diolch gymaint, Mam."

"O'n i'n meddwl falle bydde well 'da ti beret na beanie."

"Too right. Ti'n nabod fi'n dda."

Dwi'n trio fe mlân a dwi'n chwythu cusan i gyfeiriad Mam.

"Gorj! Welest ti'r amlen o'dd mewn 'na hefyd?"

Dwi'n tynnu'r amlen fach mas ac yn sgimo dros y pishyn papur y tu mewn.

"Ticket Reservation Eurostar to Paris... Mam?!"

"Tro cynta ti dramor! Ar ôl exams ti. Jyst ti a fi. My treat."

"Oh my gosh, Mam. Sai'n gwbod be i weud. Diolch, diolch, diolch."

"Ond sai'n siarad French, cofia, so bydda i'n dibynnu arnot ti!"

"Ond jyst fel bod ti'n gwbod, dwi'n absolutely lyfo'r beret a popeth a dwi'n mynd i fyw ynddo fe gytre ond sai'n mynd i wisgo fe draw yn Paris achos sai'n credu mewn stereotypes na clichés, hyd yn oed os yw e mor ddibwys â hat, ti'n gwbod? Ma stereotypes yn slippery slope. A eniwei, dyw'r Ffrainc 'na ddim yn bodoli."

"You do you, Tams."

So, dwi'n gwisgo'r beret turquoise drwy'r nos, er bod e ddim yn matsio'r pyjamas tartan coch, a dwi a Mam yn danso i'r caneuon crap mae Alexa yn dewis i ni tan bo' ni mas o bwff yn llwyr a ni'n pisho chwerthin pan mae Mam yn galw Robbie Williams yn Blobbie Williams heb feddwl, a ni wedyn yn rhoi Jools Holland mlân ac yn cytuno pa mor lysh fydde fe i allu chware'r piano mor rhwydd â mae e'n neud.

Mae hi'n nesáu at ddeuddeg so dwi'n rhoi cwtsh hiwj i Mam ac yn gweud Blwyddyn Newydd Dda a bo' fi'n caru hi loads a loads, a wedyn dwi'n mynd lan stâr yn barod i ga'l FaceTime 'da'r Pump.

Dwi'n gosod y pilws rownd y gwely a dwi'n gollwng fy hunan yn eu canol nhw. Dwi'n codi'r dwfe dros fy nghoese i ac yn gwenu ar fy hunan yn y drych gyferbyn, jyst i weld shwt dwi'n edrych pan dwi'n gwenu.

Dwi'n edrych rownd. Mae literally popeth am y stafell 'ma yn adrodd stori bywyd fi. Stickers 'I was brave for the nurse' sy 'di hanner rhwygo off y gwely, beads Herod yn hongian ar ben y ddesg, playlist Spotify fi, loads o byrffiwms gwahanol sy bron yn wag achos dwi'n hêto bennu nhw, a poster Tim ar y wal. Ond wedyn dwi'n sylweddoli bod y stafell 'ma hefyd yn adrodd stori'r Pump, achos sai'n credu mai Tami fydden i heblaw amdanyn nhw.

Mae meddwl am beidio hala bob dydd gyda nhw blwyddyn nesa yn sgero'r shit mas o fi. Pwy sy'n mynd i neud i fi ugly laugho wedyn? Ond be bynnag dwi'n penderfynu neud – even os dwi'n penderfynu gadel y wlad ar ôl ca'l results TGAU – dwi'n gwbod byddan nhw 'na ar yr ochr yn cheero fi mlân, fel y bydda i'n number one fan iddyn nhw am byth bythoedd.

Alla i ddychmygu reunion ni nawr.

Bydda i'n byw yn Ffrainc, a bydda i siŵr o fod 'di neud rhywbeth gwyllt i gwallt fi, fel ca'l mullet neu lliwo fe'n biws neu rywbeth, a bydd pawb yn gweud bod e'n classic fi.

Bydda i a Robyn dal yn partners in crime wrth gwrs. Tan. Y. Diwedd. O ie, a bydd e hefyd yn Archdderwydd (hyd yn oed os yw e'n meddwl mai dim ond pobol barchus a posh sy'n joino'r Orsedd). Yr Archdderwydd openly queer cynta erioed. A bydd e'n gwrthod gwisgo dim byd heblaw'r siôl sbarcli a lliwgar mwya amazing bydda i erioed 'di gweld ar lwyfan y Steddfod.

Ar ôl astudio Celf a gwireddu ei breuddwyd o fod yn artist, bydd Aniq 'di bod yn teithio'r byd. Bydd hi 'di dechre'r daith yn Pakistan, a bydd hi 'di cymryd yr holl flasau a lliwiau ac arogleuon biwtiffwl i mewn a bydd hi 'di mynd â nhw gyda hi i bob man arall, a peintio gwên ar bob gwg mae hi'n pasio.

Bydd Tim yn best-selling awdur, a bydd e 'di sgwennu nofel sci-fi am bump superhero sy'n safio'r byd trwy ollwng cariad dros y wlad. Bydd pobol yn gofyn iddo fe beth o'dd ei ysbrydoliaeth e a bydd e'n gweud bod y nofel wedi'i seilio arnon ni. A bydd e dal yn steran ar Cat fel mai dyna'r tro cynta iddo fe'i gweld hi.

A fydd Cat ddim yn sâl rhagor, ond bydd hi dal yn mynd i'r ysbyty achos bydd hi 'di penderfynu bod hi moyn bod yn nyrs plant. Bydd hi'n llwyddo i roi gwên ar wyneb pob un plentyn, a byddan nhw'n convinced bod 'da hi ryw fath o magic powers pan fydd hi'n creu anifeiliaid origami iddyn nhw reit o flân eu llyged nhw, a bydd hi jyst y nyrs fwya amazing yn y byd i gyd.

So mewn gwirionedd, ma pump bywyd 'da fi i edrych mlân ato.

A byddwn ni'n dod 'nôl fan hyn a bydd popeth yn y stafell 'ma'n union fel o'dd e, ond bo' ni'n cario even mwy o straeon ac atgofion gyda ni bob blwyddyn. A mae hynna'n cyffroi fi gymaint.

A ma'r ffôn yn canu.

⟨   🟢 WHATSAPP VOICE CALL   👤⊕

*.*sam*.*

Shit.

5

4

3

2

1

Dyma restr o wefannau allai fod o gymorth.

Meddwl: meddwl.org

Mind: mind.org.uk

Meic Cymru: meiccymru.org

Shout: giveusashout.org

The Mix: themix.org.uk

YoungMinds: youngminds.org.uk

Diverse Cymru: diversecymru.org.uk

Scope Charity: scope.org.uk

Disability Arts Cymru: disabilityarts.cymru

Anabledd Cymru: disabilitywales.org

Stonewall Cymru: stonewallcymru.org.uk

Tir Dewi: tirdewi.co.uk

Tim

Y PUMP

ELGAN RHYS
gyda TOMOS JONES

Aniq

Y PUMP

MARGED ELEN WILIAM
gyda MAHUM UMER

Robyn

Y PUMP

IESTYN TYNE
gyda LEO DRAYTON

Cat

Y PUMP

MEGAN ANGHARAD HUNTER
gyda MAISIE AWEN

Holwch am bris argraffu!
www.ylolfa.com